«¡Qué libro tan bello! Lo disfruté mucho.»

DRA. GINA RILEY,
psicóloga educativa, autora de los libros
Unschooling: Exploring Learning Beyond The Classroom y
The Homeschooling Starter Guide.

«En esta cautivante autobiografía, Marta Obiols presenta
su ejemplo de *unschooling* y muestra cómo este método
de aprendizaje poco ortodoxo es algo natural, respetuoso
y prometedor. Todo lector interesado en una educación
en casa radicalmente centrada en el alumno encontrará
inspiración en este libro revelador.»

REVISTA *BOOKLIFE*
de *Publishers Weekly*

«El libro evidencia el entusiasmo de Marta Obiols por
la estrategia educativa de su familia, y presenta su
experiencia y la de sus hijos como algo agradable, aunque
a veces suponga un reto. Un libro contundente sobre el
funcionamiento fuera del sistema educativo tradicional.»

Revista *KIRKUS*

«Este libro es imprescindible para cualquiera que esté
pensando en educar a sus hijos en casa. A muchos les
da miedo empezar a educar en casa, pero leyendo a
Marta se acabarán los temores. Escribe con compasión y
comprensión, leer su libro es como sentarse con la autora
y aprender cómo logró lo que a muchos les parece
una tarea imposible.»

DANIEL D. STAATS,
colaborador de *Readers' Favorite*

«Un libro bellísimo que ofrece una visión del recorrido de
una familia que optó por educar sin escuela. Este libro te
ayudará a entender cómo piensan los padres que educan
sin escuela sobre el aprendizaje y la educación, lo cual es
extremadamente útil si estás considerando (o practicando
actualmente) este estilo de educación en casa.»

JUNE,
autora del blog
www.thissimplebalance.com

#vidasincole

La historia de una familia que eligió la educación libre

#vidasincole

La historia de una familia que eligió la educación libre

Marta Obiols Llistar

Prólogo de **Jaume Obiols Gorman**

Primera edición: mayo, 2022

Edición, coordinación y publicación para la autoedición de esta obra:
EditaHub. editahub.com

Diseño: Clara Miralles

ÍNDICE

*A mis tres hijos,
que me hicieron una mejor educadora.*

*Y a todas las familias valientes
que educan fuera del sistema escolar
a pesar de no estar regulado.*

¡Os admiro!

PRÓLOGO

En mi habitación tengo colgada la Declaración de Independencia de los Estados Unidos. La encontré en una de las cajas de mi padre mientras estábamos desempaquetando en nuestra última mudanza. Mis padres vendieron la casa cuando cumplí los trece años para ir a vivir a una más humilde. Así, con el beneficio de la compraventa, dispondrían de un buen presupuesto para educarnos en casa. Cuando vi aquel documento de color marrón escrito por los padres fundadores de los Estados Unidos, de inmediato lo quise. Deseaba colgarlo en la pared y mi madre me ofreció enmarcarlo. Así es mi madre, siempre intentando proveer herramientas para nuestras necesidades.

La Declaración de Independencia es un símbolo importante porque es un recordatorio de aquello a lo que los estadounidenses deberían aspirar en el día a día. Habla de vida, de libertad y de la búsqueda de la felicidad. Así es precisamente como mi madre nos ha criado.

El día que supe que no iba a regresar a la escuela me sentí muy aliviado. Allí no era feliz. Me acuerdo de no tener amigos.

Me sentí libre nada más empezar a vivir sin *cole*. Disfruté de un sinfín de días y horas jugando con mi hermana y mi hermano. Gozamos de la vida.

Crecer sin ir a la escuela fue una experiencia muy positiva para mí. Al principio nos unimos a un grupo de *homeschoolers* que se reunía una vez por semana en el parque. Éramos unos treinta jóvenes, o más, de todas las edades, razas y creencias religiosas. Fue allí donde conocí a mis mejores amigos, a los que aprecio mucho; ellos me inspiran y me motivan a ser mejor persona cada día.

Mis amigos son *homeschoolers* educados en casa de diferentes maneras. Además, he tenido la suerte de que en todas aquellas actividades en las que he participado fuera del entorno de los *homeschoolers*, como el tiro al arco, o en mi trabajo actual en la cafetería, siempre he coincidido con otras personas educadas sin escuela, y eso ha facilitado que los demás nos acepten sin ser vistos como bichos raros.

En cambio, mi hermano, desde que empezó a jugar a fútbol hace dos años, siempre se encuentra que es el único chaval educado en casa, y a sus compañeros de equipo les parece de lo más raro. Siempre se ve obligado a explicar y a responder las típicas preguntas. Existen todavía muchas personas cerradas que no entienden que podemos aprender y hacer amigos sin ir a la escuela.

Aunque mis padres y yo tenemos opiniones políticas diferentes e inquietudes distintas, siempre han apoyado mis intereses, lo que me ha hecho sentir entusiasmado y respetado en todo momento. El hecho de haber sido educado con libertad me ha dado la confianza de seguir mi vocación y vivir una vida que me ilusiona cada día.

Aprendí todo lo que quería aprender desde la comodidad de mi casa, leyendo libros, usando mi ordenador, asistiendo a las clases de los padres de mis amigos y a otras clases que decidí recibir. A la vez que aprendía, tenía mucho tiempo libre para hacer otras cosas que me gustaban. Jugué muchísimo con mis vecinos en la calle y con mis amigos en el parque y en el bosque.

Internet es una herramienta muy útil para aprender. Documentales, blogs, artículos, pódcasts, etc. Los utilicé todos para educarme. Los expertos de un tema en concreto no están en el aula de una escuela. No. Están fuera, en el mundo. Han escrito un libro, han grabado un documental, o un pódcast. Estos expertos quieren enseñarnos. No hay necesidad de estar en una clase esperando a que un maestro nos ilustre sobre algún conocimiento. Por ejemplo, aprendí astrofísica leyendo un libro de Neil deGrasse Tyson llamado *Astrofísica para gente con prisa.*

De momento llevo una vida bastante ocupada. Trabajo media jornada en una cafetería, soy entrenador de un equipo semiprofesional de *e-sports*, y estoy escribiendo una novela de ciencia ficción. Mi prioridad es terminar mi novela y publicarla. Espero que con mi novela y a través de mis historias pueda inspirar a escritores aspirantes a ser autores de libros de ciencia ficción.

Ojalá que algún día los jóvenes de países en donde el *homeschool* es ilegal tengan la oportunidad de ser educados de la misma manera que yo lo fui.

Elon Musk cuestiona las escuelas y las universidades, y está educando a sus hijos de la misma manera que mi madre me educó a mí; incluso ha creado un programa educativo *online*. A lo mejor así la gente va a empezar a escuchar. Hay otros métodos para aprender, la escuela no es el único.

A mí me fue muy bien tener autonomía en mi propia formación.

Jaume Obiols Gorman

*Para confiar en los niños
primero debemos aprender a confiar
en nosotros mismos,
y a la mayoría de nosotros nos
enseñaron de pequeños
que no se podía confiar en nosotros.*

John Holt

Educador pionero en la educación en el hogar

INTRODUCCIÓN

El viejo dicho yidis «El hombre planea y Dios se ríe» resume muy bien mi vida.

Yo planeé y Dios se rio.

Casi siempre que deseo o imagino algo, o me hago ilusiones, la vida tiene otros planes para mí. Gracias a ello, con los años me he convertido en una buena improvisadora que construye cabañas con los «palos» que la vida me va dando. Y con los años también he entendido que la dirección por donde la vida me ha ido guiando no eran «palos», sino todo lo contrario.

Nunca deseé concebir, y sin embargo tuve dos hijos.

Jamás soñé con ser una madre ama de casa, y sin embargo lo soy.

Tampoco deseé que mis hijos se educaran sin escuela, y ocurrió.

Nunca me planteé escribir un libro y aquí estoy, contándote mi historia.

Soñé y deseé con todo mi corazón una boda de princesa y trabajar como maestra de un aula hospitalaria. Ninguno de los dos sueños se hizo realidad.

Aunque, para ser sincera, mentiría si te cuento que ninguno de mis deseos se cumplió. Siempre quise formar una familia mediante la adopción y no mediante la concepción. También quería ir a Estados Unidos para sumergirme en el habla inglesa. Estoy muy agradecida de que estos dos sueños sí se cumplieran. Conseguí adoptar un hijo y Estados Unidos me adoptó a mí.

¿Para qué he escrito este libro?

Mi propósito al contarte mi historia no es enseñarte un método de cómo se educa en casa, sino mostrarte una realidad concreta; mostrarte cómo es el día a día de una familia en particular que educa a sus hijos fuera del sistema escolar y en total libertad.

Si quieres estudiar, aprender y averiguar sobre cómo educar sin escuela, te sugiero los libros de John Holt y de Peter Gray, ambos educadores y referentes mundiales para las familias que quieren educar libremente.

En Estados Unidos, donde vivo y donde he educado a mis hijos, como la educación fuera del sistema escolar está permitida y regularizada, existen cooperativas de familias que educan en libertad y organizaciones que facilitan recursos. Dado que es un sistema ya bastante maduro, se han creado términos específicos para designar los diversos tipos de educación libre. Cuando los americanos hablan de *unschooling* se refieren a un método poco escogido dentro del mundo *homeschool* (término referido a educar en casa). Es un método donde no replicas la escuela en el hogar, sino que educas sin seguir ningún plan educativo, simplemente dejas que tus hijos vayan aprendiendo de modo natural. Al final del libro te cuento con más detalle. Este método *unschooling* es el que elegí para mis hijos.

Todos somos diferentes, y cuanto más leas sobre *educación libre* mejor lo vas a entender y podrás adaptar la educación a las necesidades de tus hijos. Así pues, mi libro es mi historia personal como madre *unschooler*.

Jamás de los jamases, como ya he contado, planeé o soñé con quedarme en casa con mis hijos y educarlos en el hogar en vez de llevarlos a la escuela mientras yo entraba en el mundo laboral. Me siento tal y como Glennon Doyle describe en su libro *Untamed* (Indomable) —por cierto un libro buenísimo, te lo recomiendo—, cuando explica cómo el guepardo, que fue domesticado para actuar como si fuese un perro labrador, acabó *indomándose* a sí mismo.

Yo fui «domesticada» para ir a la universidad, conseguir un buen trabajo y educar a mis hijos dentro del sistema escolar. Y así lo hice: me convertí en una madre trabajadora muy competente. Pero cuando surgió la posibilidad de quedarme en casa con mis hijos, a pesar de ser un «acto anticuado», me *indomé*. Como un guepardo *indomado*, ya no actúo como un perro, y así, en lugar de estar centrada en una carrera profesional, me dedico en exclusiva a educar a mis hijos, que es en realidad mi verdadera pasión.

Ahora que mi hijo mayor ha cumplido dieciocho años y que su educación sin escuela ha sido un éxito, me gustaría compartir mi historia contigo.

Todas las madres que conozco se ponen sentimentales o lloran cuando sus hijos cumplen un año más. Algunas incluso desearían que no creciesen y se quedaran niños toda la vida. A mí me encantó cada momento en que mi hijo mayor fue creciendo. Me sentía feliz cada año que él crecía y maduraba. Cuando cumplió los dieciocho años me sentí como si hubiera llegado a la meta de una larga maratón.

Lo logré, lo logró, lo logramos. Esta es nuestra historia.

No es que crea que la escuela es una buena idea que ha salido mal, sino una idea equivocada desde el principio. Es una noción absurda la de tener un lugar donde solo se aprende, aislado del resto de la vida.

John Holt

¿CÓMO EMPEZÓ TODO?

«Mamá», dijo Afrika con siete añitos, «no estoy aprendiendo nada».

La breve frase me sorprendió. Mi hija estaba cursando 1.º de Primaria. Yo no recuerdo a su edad haber querido aprender nada. ¿Por qué mi hija no estaba contenta simplemente siendo una niña? ¿Por qué quería aprender?

«¡Mejor para ti!», pensó mi yo niña de siete años. Pero entonces mi yo adulta reaccionó, se puso en marcha y el instinto maternal de proteger se apoderó de mí. Qué tristeza que esta mocosa de siete años quisiera aprender y no se le diera la oportunidad. Deseaba aprender y no recibía instrucción en su escuela pública.

Afrika continuó explicándome que pasaba mucho tiempo en clase con los brazos cruzados sobre la mesa, con la cabeza agachada. Porque cada vez que un niño se portaba mal, se castigaba a toda la clase. Como castigo, todos tenían que bajar la cabeza.

Esta anécdota fue la última gota que colmó el vaso. Llegó el momento de dejar el sistema escolar y pasarme al mundo de la educación en casa.

Pero comencemos por el principio.

A mis veintitrés años me convertí en una inmigrante indocumentada en Estados Unidos. Un tiempo antes había aterrizado en ese país legalmente desde Barcelona, mi ciudad natal. Durante ese primer año trabajé en un jardín de infancia con la documentación adecuada pero mi período de estancia legal allí llegó a su límite.

Pero… cuando llegó ese momento, el de irme del país, conocí a Brian, mi futuro marido. Tomé la decisión de prolongar mi estancia en Estados Unidos ilegalmente. No pensaba permitir que la burocracia, las leyes, las normas y los gobiernos decidieran mi futuro. Pero esta historia es para otro libro que voy a escribir en otro momento.

Como no tenía documentación, no tenía permiso para trabajar legalmente. Esto obligó a poner en pausa mi carrera de maestra. Así que me convertí en canguro de una maravillosa familia de padre canadiense y madre turco-americana.

Recién casada y haciendo de niñera, me quedé embarazada inesperadamente. Por fortuna, tenía una magnífica relación con la familia para la que trabajaba como canguro y me permitieron seguir cuidando a sus criaturas con mi bebé al lado.

Día tras día, cuidé de sus tres hijos y de mi hijito Jaume. ¡Qué suerte pasar el primer año de mi bebé con él las veinticuatro horas del día! Pude amamantarlo todo lo que mis pechos me permitieron y presenciar cada una de sus etapas de desarrollo. Y me ahorré dinero al no dejarlo en un jardín de infancia mientras trabajaba.

Cuando la familia ya no necesitó mis servicios y finalmente obtuve el permiso legal de trabajo, encontré otro empleo. Me contrataron en un jardín de infancia, donde inscribí a Jaume en la clase de niños de un año.

Trabajar en ese jardín de infancia fue la primera de muchas alertas rojas. Un toque de atención. ¡Qué decepción al ver cómo las maestras trataban tan ignorantemente mal a los pequeños! Para corregir su comportamiento, rociaban a los niños con una botella de agua, los amenazaban con un cinturón, o los castigaban dentro de un armario. ¡Qué horror!

Mi título de Educación Especial obtenido en Barcelona me permite trabajar en diversos entornos educativos. En España, los maestros deben acreditar un título universitario de especialista en Educación Infantil para trabajar en ese campo. Las maestras de jardín de infancia que conocí en mi país, incluida mi prima Ariadna, son cariñosas, atentas y pacientes. Son conscientes de que los niños pequeños se portan mal y cometen errores. Y están al corriente del daño que el maltrato físico o psicológico produce en un niño.

Me di cuenta de que los centros para infantes de Atlanta, Georgia, donde resido, están llenos de personal docente sin ninguna titulación o formación previa. Pocos son los que tienen conocimientos de educación infantil. Los que sí tienen esa formación la obtienen gracias al director del jardín de infancia, que ayuda a los empleados a formarse para obtener un título o una certificación. Pero doy fe de que he visto a muchos maestros que no aplican las lecciones impartidas en las clases de formación continua y en los talleres para educadores infantiles.

Otra señal que me alarmó mucho fue cuando mi hijo Jaume empezó a ir a la escuela pública. Un colegio nuevo, alternativo, de currículum internacional, se inauguró en nuestro barrio. Como extranjera que soy en Estados Unidos, estaba muy interesada en que mi hijo asistiera a un colegio internacional en lugar de la escuela americana normal y corriente. Aunque el colegio no enseñaba español sino mandarín, me gustó su filosofía y todo lo que contaban sobre educación. Así que no dudé en inscribirlo. De hecho, estaba tan entusiasmada con la escuela que también me presenté para trabajar allí. Me entrevistaron, me observaron mientras impartía una lección en una clase, y me dieron el puesto de maestra de los alumnos de cinco añitos.

Fue una gran decepción. Al igual que en el jardín de infancia y en otras escuelas de Atlanta en las que he trabajado, una cosa es lo que venden y otra la realidad. Todas son geniales por escrito; el papel lo aguanta todo. Todas parecen tener una gran filosofía educativa, todas te presentan un plan de estudios maravilloso, etc. Todas parecen fantásticas, estupendas, innovadoras, bla, bla, bla..., pero la realidad las desmiente.

Cuando se lo conté a mi madre, enfermera de profesión, me dijo que seguramente veía tantos aspectos negativos de la escuela porque trabajaba en ella. «Si fueras una madre que está fuera», insistió, «no verías todos los problemas».

El primer año escolar de mi hijo Jaume fue muy frustrante.

Mientras yo me esforzaba al máximo trabajando para hacer memorable el primer año escolar de mis alumnos, lo daba todo y casi anteponía mi trabajo a mi familia, la maestra de mi hijo no lo hacía. Se ausentó muchos días durante el año escolar y los padres empezaron a protestar. Y para resumir: esa maestra era tan mala que su falta de ética en el trabajo hizo que la despidieran.

La escuela contrató a una sustituta mientras buscaba a la candidata adecuada para esa clase. La escuela tardó mucho tiempo hasta que encontró la maestra tierna e ideal. Pero ¡qué desastre el primer año escolar de mi hijo! Se perdió la experiencia preciosa donde uno establece un vínculo dulce y encantador con la maestra o el maestro. En cambio tuvo tres maestras. Fue una pena que, cuando por fin pudo disfrutar de una educadora buena y profesional, la nueva maestra contratada, el año escolar terminó. Era hora de pasar a primero.

Pero 1.º de Primaria no fue mejor. La maestra de Jaume faltó de nuevo muchos días, y dejaba la clase en manos de un sustituto, día tras día. Fue un año deprimente y largo, y necesitábamos un cambio.

Después de vivir esos dos años escolares tan patéticos, decidí cambiar a Jaume a otra escuela para 2.º de Primaria. Así que abandonamos esa escuela recién fundada, que era demasiado nueva y con problemas de crecimiento, para dar una oportunidad a la escuela pública de mi vecindario.

Segundo fue fantástico. ¡Aleluya! Jaume tuvo el mejor maestro de toda la historia de maestros. Además, el colegio tenía una biblioteca impresionante, una sala de informática y un laboratorio de ciencias. Jaume participó en una gran variedad de actividades. Formó parte del club de ajedrez y del club de robótica; incluso se presentó al concurso de ortografía, ¡y casi ganó!

El Sr. Shipman fue el maestro perfecto para mi hijo. Tengo un recuerdo precioso de cuando me hizo llorar lágrimas de amor de mamá. Un día que acompañé a Jaume a su clase, el Sr. Shipman me llamó. «Ven acá», me dijo. «Quiero que sepas que veo a tu hijo». ¿Qué? ¿De qué me estaba hablando? Al principio no entendí nada. Seguidamente, el Sr. Shipman me miró directamente a los ojos con seguridad, ternura y cuidado. «Lo veo», me insistió. ¡Ay, madre mía!, ¡lloré tanto! De repente, lo entendí y descargué el dolor —todo el dolor— de los años pasados.

En los cursos anteriores mi hijo Jaume era el niño invisible. Los maestros nunca reparaban en él. Así que escuchar de un educador que sí que lo veía fue muy emocionante.

Una vez, cuando Jaume tenía cuatro años, su jardín de infancia llevó a cabo un simulacro de incendio. Todo el mundo salió del edificio. Todos menos mi hijo. Se quedó atrás, jugando con los *playmobils* en la clase él solo. No siguió a los niños ni a la maestra fuera del aula, y la maestra no se dio cuenta de que faltaba. Así de invisible era mi hijo. Pero este maestro excepcional de segundo lo vio. ¡Qué año tan bueno tuvimos con el Sr. Shipman!

Lamentablemente, ese mismo año, cometí el error de sacar a mi hija, Afrika, del jardín de infancia perfecto. Allí, sus dos cuidadoras eran fantásticas. Pero como necesitaba ahorrar dinero, una vez cumplió los cuatro años la inscribí en el programa infantil educativo gratuito para alumnos de cuatro años del estado de Georgia.

En aquel momento, el cambio tenía su justificación. Después de todo, los jardines de infancia son escandalosamente caros. Estábamos en pleno proceso de adopción de un niño de Etiopía, y las facturas eran cada vez más elevadas. Necesitábamos un alivio. Lamentablemente, este corte financiero puso en riesgo la felicidad de Afrika. Aquellas maestras del programa infantil gratuito hicieron barbaridades. Afortunadamente, acabaron despidiéndolas y cerraron el centro. Al menos, otros padres y niños no sufrirían en sus garras.

En septiembre del 2010, mi marido, Brian, y yo viajamos a Adís Abeba (Etiopía) para recoger a nuestro hijo de 3 añitos, Konji. Decidimos que yo no volvería a trabajar después de traer a Konji. Me quedaría en casa con él para que pudiéramos establecer un vínculo. El Centro para Niños de Etiopía ya había sido una experiencia suficiente de jardín de infancia. Era el momento de establecer un vínculo con su nueva familia.

Como yo no trabajaba y Afrika lo pasaba fatal en ese programa infantil del gobierno tan horrible, la sacamos y se quedó también en casa. Konji y ella se volvieron inseparables, se lo pasaban bomba. Y yo seguía sin darme cuenta de las señales que la vida me enviaba. Era una madre dedicada al hogar con una criatura de tres años y otra de cinco, y me encantaba. Lo adoraba.

Mientras mi hijo tenía una racha de buenos profesores y buenos cursos (3.º de Primaria fue otra experiencia agradable), llegó la hora de que mi segunda criatura, con sus cinco añitos, empezara a ir al colegio.

Sin embargo, Afrika, como contaba antes, tuvo una experiencia diferente en el jardín de infancia. Solo tenía dos meses cuando me separé de ella. Por suerte, fue al jardín de infancia donde yo trabajaba entonces. La sala de lactantes tenía unas profesoras encantadoras. Pero después de un año allí, me llegó una buena oportunidad de trabajo en una escuela cerca de mi casa, y tuve que buscar otro jardín infantil más cercano para hacer la vida de Brian y mía más fácil.

Tuve la gran suerte de que una de las madres de esa escuela donde me contrataron me propuso un trato. Esta mujer tenía en su casa una especie de jardín de infancia (lo que se llama *madre de día*). Me ofreció cuidar a Afrika durante el día y traérmela a la hora que ella recogía a sus hijos del colegio. Así que Afrika disfrutó una estupenda experiencia en esa especie de jardín infantil de *madre de día*. Formó un vínculo maravilloso con las dos profesoras.

Afortunadamente, el primer año de escuela de mi hija fue una buena experiencia. Ese curso fue el mejor. ¡El mejor! El Sr. Weems tenía muchos conocimientos y recursos, no podíamos haber exigido un mejor maestro para los infantes de cinco años.

Pero, durante ese año, las cosas empeoraron y empezó a desvelarse la verdad.

Estalló el gran escándalo que hundió las carreras de docenas de educadores y alteró la educación de decenas de miles de estudiantes. En efecto, «The Atlanta Cheating Scandal» fue un escándalo nacional en el que se descubrieron las trampas hechas en los exámenes estatales de algunas escuelas públicas de Atlanta en 2009: acusaron a maestros y directores de cambiar respuestas de los exámenes ya entregados de las pruebas estatales. Uno de los acusados fue nuestro querido maestro Sr. Shipman, quien, después de cinco años luchando para limpiar su nombre, fue declarado inocente por el juez.

Como el sistema escolar público tuvo que continuar pagando el salario de los maestros acusados, aunque estos no tenían permiso legal para pisar la escuela, además del salario de los maestros sustitutos durante cinco años, la solución para cubrir esos costes fue cerrar siete escuelas y hacer recortes. Hacinaron a los alumnos en nuestra escuela, entre otras, y nos quedamos sin clases de música, arte, o español.

Después de este año loco, nuestro excelente director, que era la alegría y el alma de la escuela, la dejó por una oportunidad de trabajo mejor. El admirable y brillante bibliotecario de la escuela, al que todo el mundo adoraba, también se marchó por otra oportunidad de trabajo. Otros docentes excepcionales hicieron lo mismo. Porque, cuando eres un maestro admirable, un bibliotecario fantástico o un director fenomenal, te llegan mejores ofertas de trabajo. Cuando llegan, no puedes rechazarlas. Desgraciadamente, los que se quedan detrás sufren las consecuencias.

Los siguientes cursos escolares, 4.º y 1.º de Primaria, fueron diferentes. El espíritu de la escuela no era el mismo. La maestra de 4.º de Jaume era una de esas maestras con buena reputación; era adorada por todos. Pero como estaba en los últimos meses de su embarazo, al principio del curso escolar, se tomó la baja por maternidad. Una vez más, mi hijo tuvo una sustituta como maestra.

La situación tampoco era mejor para Afrika. Ahora, en la clase de 1.º, estaba insatisfecha y se quejaba de que no aprendía nada.

Aquel año, 2012, tomé la decisión de sacar a mis hijos del colegio. Estaba harta de dejar su educación en manos de otros.

En esos años transcurridos desde el jardín de infancia hasta 4.º de Primaria aprendí la lección. No está en tus manos como madre o como padre elegir al docente y debes conformarte con maestros mediocres o con constantes cambios de maestros en un mismo curso. También aprendí que el Gobierno cambia las reglas cuando le conviene. Tengo constancia de ello.

Sin ir más lejos, Jaume tuvo la oportunidad de recibir clases de música, arte y español más de una vez por semana durante su etapa escolar, mientras que Afrika sufrió las consecuencias de los recortes educativos del gobierno. No recibió clases ni de música, ni de arte ni de español. Por desgracia, la escuela pública es una lotería, y estaba cansada de que el gobierno jugara con la educación de mis hijos. Quería la mejor educación para ellos, y no podía permitirme el lujo de pagar la matrícula de tres alumnos en el colegio privado de mis sueños.

Al principio, la idea de que mis hijos estudiasen en casa no me gustaba. No quería educarlos en casa. Para autoconvencerme de que había tomado el buen camino, me decía a mí misma que de todos modos yo era la que hacía la mayor parte del trabajo educativo cuando iban a la escuela. Cada día les ayudaba con los deberes, me documentaba en Google sobre aquellos temas que no entendía, buscaba libros para bajar en mi Kindle cada noche para que mi hija de siete años pudiera leerlos, o mejor dicho, devorarlos. Nunca había visto a una niña de siete años leer un libro entero en una sola noche, noche tras noche. Afrika los engullía. Se leyó los veintisiete libros de Junie B. Jones en un abrir y cerrar de ojos.

Sabía que podía educar fácilmente en casa a mis peques de siete y cinco años, pero me aterraba la idea de educar a un niño de 4.º de Primaria, un curso en el que no tenía ninguna experiencia. Para autoconvencerme de que era capaz de educar a mi hijo mayor en el hogar, me hice una pregunta: «¿Qué harías si mañana te contrataran para dar clases en 4.º de Primaria en una escuela?».

Entonces me puse a buscar en Internet. Empecé a investigar lo que aprenden los alumnos de cuarto. Y compré algunos libros de 4.º de Primaria en la librería Barnes & Noble que había cerca de mi casa.

Durante las vacaciones de invierno, todavía con el dilema de si educar en casa o en la escuela, una amiga me dijo: «Lo importante en este caso es: ¿puedes soportar a tus hijos las veinticuatro horas del día?».

Fue la pregunta clave. En ese momento me di cuenta de que podía educar en casa. Porque me encanta estar con mis hijos durante las vacaciones de verano, de Semana Santa, de Navidad, los días festivos y sus puentes. Me encanta, de verdad que me encanta.

Aún recuerdo el encuentro con mi cuñada Stacey. Esta nativa de Nueva York, con una carrera profesional impresionante, se sentó frente a mí mientras los niños jugaban en la zona de juegos del restaurante Chick-fil-A.

«¿Qué está pasando?», me preguntó. «¿Qué es eso de que vas a educar a tus hijos en casa?».

Empecé a llorar. Todos mis miedos, dudas y rabia salieron de mi cuerpo en forma de lágrimas en ese preciso momento. Le conté que tenía miedo, mucho miedo. Le expliqué que no quería educar en casa, pero que no veía otra salida.

«Marta, tú eres el tipo de madre que se lleva a los niños a México durante las vacaciones de verano para trabajar de voluntarios en una escuela rural. Tienes el perfil. Estoy convencida de que lo vas a hacer muy bien».

Siempre recordaré con cariño esas palabras tan alentadoras.

Mi cuñada tenía razón. ¿Por qué tenía miedo? Cada verano se me ocurrían geniales actividades educativas para mis hijos. Una vez incluso organicé un campamento de verano en mi propia casa. ¡A mis hijos les encantó! Lo único que tenía que hacer era familiarizarme con ese terreno desconocido llamado *educación en casa*.

*Lo más importante y valioso del hogar
como base para el crecimiento de los
niños en el mundo no es que sea una
escuela mejor que las escuelas,
sino que no es una escuela
en absoluto.*

John Holt

LOS PRIMEROS AÑOS

El 14 de diciembre del 2012 ocurrió una tragedia en Connecticut. Niños de seis y siete años de la escuela Sandy Hook fueron asesinados a tiros por un desconocido que entró en el centro escolar. Tras el horrible suceso, los norteamericanos quedaron conmocionados. De repente, se publicaron infinidad de artículos en Internet sobre qué hacer para sacar a los niños de la escuela y educarlos en casa. Esos artículos me sirvieron de guía y me aclararon muchas dudas. Me convencieron del todo de que mis hijos no volverían a la escuela después de las vacaciones de Navidad.

Da miedo convertirte en una *outsider* e ir a contracorriente; da miedo formar parte de una minoría por primera vez, convertirte en alguien no normal. En esos momentos agradeces tener una guía.

Gracias a esos artículos de educación en casa que leí en Internet fui encontrando el camino paso a paso. Con ellos aprendí cómo dar de baja a alumnos de un colegio, cómo elegir un método educativo o un plan de estudios y la importancia de encontrar un grupo de familias que también educan en casa.

Aquí en Georgia, todo lo que tuve que hacer fue visitar el sitio web del Departamento de Educación de Georgia. Con unos pocos clics, mis hijos estaban de forma legal fuera del sistema escolar oficial. El documento necesario para educar a tus criaturas fuera de la escuela se llama *Declaración de Intención.*

Aquí en Estados Unidos cada estado tiene unas normas diferentes respecto a educar en casa. A pesar de que es legal en todo el país, en algunos estados está muy regulado. Por ejemplo, en Arizona basta con solicitar una vez el documento *Declaración de Intención.* En Georgia tenemos que renovarlo cada año. En Nueva York y otros estados hay que demostrar anualmente que el estudiante está aprendiendo, o tiene que examinarse. Aquí en Georgia tuve la gran suerte de ser más libre. Mis hijos nunca han tenido que examinarse y yo nunca he tenido que demostrar nada.

Cuando les dije a mis hijos que no tenían que volver al colegio, no se lo podían creer. No ir a la escuela era algo desconocido. No tenían ni idea de que no ir al colegio era posible. Incluso mi pobre hijo mayor me dijo: «Si hubiese sabido que no ir al colegio era posible, te habría pedido desde hace tiempo que me sacaras de él».

Pobrecito. Yo tampoco lo sabía.

Durante nuestros primeros años de educación en casa, preparé la mesa del comedor como si fuera una clase. Cuando mis *mocositos* se acostaban por la noche, colocaba los ejercicios educativos en la mesa. A la mañana siguiente, cuando iban a desayunar, encontraban el material escolar fácilmente y así no se distraían.

En aquella época, mis niños desayunaban y enseguida se ponían a trabajar. Hacían todo tipo de tareas escolares que yo encontraba en Internet o en los libros que compré a toda prisa en Barnes & Noble. Seguíamos esos libros como lo hace un maestro en la escuela. La única diferencia era que no estábamos en la escuela. Estábamos en casa.

El comedor de casa se convirtió en un aula de Primaria. De las paredes colgaban trabajos de lectoescritura y de matemáticas. Una línea del tiempo de los principales acontecimientos históricos se extendía por toda la estancia. Cultivábamos plantas para observarlas. En la ventana puse un termómetro para registrar temperaturas y otros datos.

Ahora, recordando lo que hice, me avergüenzo. Esos primeros días fueron literalmente como una escuela en mi casa. No tenía ni idea de lo que estaba haciendo.

No me malinterpretes. Convertir tu sala de estar en un entorno educativo rico es positivo y beneficioso. Pero cada momento de la vida es un momento de aprendizaje, por lo que no tiene mucho sentido tenerlo todo metido en una estancia. El trabajo de los niños es aprender, aprender jugando en cualquier lugar y momento.

Leí que los padres que no son maestros de formación y educan en casa sin seguir un plan académico lo hacen muy bien. A mí me costó despegarme de mi papel de maestra pero poco a poco fui siendo menos maestra y mi casa menos escuela. Me sumergí en los libros sobre educación libre y aprendí muchísimo leyendo a John Holt.

El hecho de dejar de trabajar para dedicarme a mis hijos hizo que nuestra economía se resintiera. Con poco presupuesto, me vi obligada a ser muy creativa con las actividades diarias. En ese momento, mis hijos tenían cinco, siete y nueve años, una etapa muy buena y divertida del desarrollo de un niño. Pronto me enteré de todas las actividades gratuitas apropiadas para sus edades que podían hacerse en Atlanta, la capital de Georgia.

Las bibliotecas ofrecen actividades gratuitas (o las puedes pedir). No solo tienen un montón de libros, audiolibros, libros electrónicos, revistas, tabletas y ordenadores, sino que también organizan talleres y clases gratuitas en Internet, y además ofrecen actividades en días festivos importantes como el Día de San Valentín, Halloween y Pascua.

Nuestra biblioteca también ofrece actividades en torno a eventos importantes como el Mes de la Historia de los Negros en febrero. Las bibliotecas se convierten en tus mejores amigas cuando educas sin escuela.

El Museo de los Niños, un museo interactivo que permite a los niños experimentar la posibilidad de jugar y explorar, era gratuito un martes al mes. Allí estábamos cada mes sin falta. Mis hijos lo disfrutaron un montón haciendo arte con pintura, jugando con arena lunar y construyendo con bloques gigantes. Pudieron disfrazarse, jugar con trenes, simular que compraban en un supermercado, llevar a cabo experimentos científicos, aprender sobre el cuerpo humano y disfrutar de espectáculos en directo.

Gracias a la biblioteca, que tenía pases para prestar, visitamos el zoo varias veces gratuitamente. Mientras el resto del mundo está en el trabajo y en el colegio, el zoo está prácticamente vacío. Sin aglomeraciones, pudimos pasar un buen rato leyendo los carteles educativos delante de cada hábitat. Allí mis hijos aprendieron muchísimo.

También íbamos a la librería Barnes & Noble, grande y preciosa, donde mis chiquitines se pasaban horas en aquel suelo enmoquetado leyendo libros. En esa librería era más fácil navegar y encontrar libros que en la biblioteca pública. Mientras estaba en la tienda, solía utilizar mi teléfono y el wifi gratuito para consultar el catálogo de la biblioteca. Si la biblioteca tenía el libro que mis hijos querían, no lo compraba en la tienda. Lo cogía prestado de la biblioteca. (Lo siento, Barnes & Noble, ¡no tenía pasta!).

Muchos de nuestros amigos eran miembros del Museo de Historia Natural Fernbank y del Centro de Historia de Atlanta. Cuando visitaban el museo o el centro de historia, estos amigos nos invitaban a acompañarlos gratuitamente. Muchas madres sagaces y ahorradoras piden membresías de museos, zoológicos y acuarios como regalos de cumpleaños o de Navidad. Otra buena forma de pagar estas afiliaciones tan caras es con el dinero de la declaración de la renta.

El Centro de Ciencia Fernbank también era de entrada gratuita. Su biblioteca es increíble, y su Planetario es muy barato. La entrada al Museo de Arte High era gratuita un sábado al mes, ofreciendo la posibilidad de ver obras de artistas de todo el mundo, como Frida Kahlo, Picasso, Monet y Andy Warhol.

Además, muchos de los lugares que he mencionado ofrecen un día para las familias que educan en casa. Esos días, madres, padres, canguros y tutores que educan en casa de toda Atlanta y sus alrededores llevan a los niños y las niñas para participar en estos talleres o eventos educativos organizados.

Estoy convencida de que a medida que la educación sin escuela sea posible y se regule en tu país, los museos y centros cívicos organizarán eventos entre semana para las familias que se acojan a este modelo educativo.

Visitamos muchos más lugares en Atlanta. En el Museo de Diseño de Atlanta, vimos por primera vez una impresora 3D, y quedamos fascinados al ver cómo la impresora creaba una pulsera. Dentro del Museo Monetario del Banco de la Reserva Federal, vimos cómo se imprime dinero. Casi me desmayo en el Museo de Arte Michael Carlos de la Universidad de Emory cuando me di cuenta de que estaba muy cerca de momias auténticas. Y si no puedes ir a visitar estos sitios, muchos de ellos ofrecen *tours* virtuales y tienen páginas web educativas. Estas herramientas y recursos hacen que la educación en casa sea mucho más fácil.

Una madre muy lista, que ya estaba en la recta final de educar a sus tres hijos adolescentes sin escuela, me dijo una vez que hay que tratar de exponer a los niños a todo lo posible. Ir a restaurantes por toda la ciudad, participar en todo tipo de actividades, viajar a todos los estados, probar todo tipo de deportes, ir a campamentos de verano, apuntarlos a actividades extraescolares, etc., hasta que tus hijos encuentren su pasión. Seguí su consejo.

Durante los primeros años, expuse a mis hijos a todo lo que Atlanta nos ofrecía gratis. Fue un buen comienzo.

Las clases gratuitas del Centro de Artes Interpretativas del Condado ofrecieron a mis peques una oportunidad para la expresión oral y escrita, la fotografía, la danza, el teatro y la cerámica, entre otras cosas. La tienda de bricolaje Lowe's ofrecía una actividad gratuita de carpintería los fines de semana, que Jaume disfrutó muchísimo. Durante la primavera, la Universidad de Emory y el Club de Atletismo de Atlanta ofrecieron un programa gratuito de atletismo que a Afrika y Konji les encantó.

Los parques, ríos, lagos y lagos convertidos en playa eran todos gratuitos. Montamos en bicicleta en Grant Park. Cuando ese parque se nos quedó pequeño, nos trasladamos a Piedmont Park. Poco a poco, fuimos recorriendo todos los carriles y los circuitos de montaña para bici de Atlanta.

Nos pasamos un montón de horas en Constitution Lakes, donde me sentaba a disfrutar de un libro o hablaba con un amiga, mientras el grupo de niños y niñas paseaba con sus botas de agua, investigando el mundo a su alrededor. Siempre volvían sucios, embarrados, satisfechos y llenos de alegría.

Menos mal que las piscinas públicas también son gratis durante algunas horas del día, porque no puedo vivir sin piscina. La montaña cerca de mi casa, Panola, también tiene mucho que ofrecer. Allí es donde Afrika se aficionó a la escalada profesional de árboles y Jaume descubrió su amor por el tiro al arco.

Y por último, mi actividad gratuita favorita: Six Flags. Así es. Fuimos a Six Flags Over Georgia, un parque temático de atracciones, sin comprar una sola entrada. ¿Cómo? A través de su magnífico programa, *Read to Succeed*. Para fomentar la lectura de los niños y las niñas de edad escolar, muchos sitios, como bibliotecas, librerías y cafeterías, organizan actividades y dan premios a los chicos y chicas que demuestran que han leído una cierta cantidad de libros. Con *Read to Succeed* los estudiantes y profesores ganan entradas gratis al parque temático Six Flags simplemente por haber leído una cierta cantidad de libros. Pizza Hut tiene un programa similar, llamado *Book It*, el cual permite a los estudiantes ganar una *pizza* gratis cada mes por haber leído cierta cantidad de libros.

Hicimos todas las actividades gratuitas que pudimos encontrar en Atlanta. Incluso descubrimos una tienda llamada Atlanta Free Store donde los voluntarios hacen un trabajo admirable. Toda la comida de los supermercados locales que va directa a la basura se recupera. Luego es recolectada en Atlanta Free Store y entregada a personas como yo. Gracias a Atlanta Free Store, a menudo comíamos gratis. Incluso recibí ropa nueva y bonita sin coste alguno.

Dada la impresión que causó en nuestra familia, acabamos convirtiéndonos en voluntarios de Atlanta Free Store. Fue muy divertido y los niños aprendieron mucho. Gracias, Tina, por tu organización.

También íbamos a Costco, un almacén gigante donde se compran productos a lo grande. Esas compras que antes solía hacer con mucha prisa se convirtieron en excursiones educativas con actividades como la búsqueda del tesoro, de lectoescritura y matemáticas. Mis hijos patinaban con sus Heelys por los pasillos del supermercado mientras recogían todo tipo de datos de los productos en venta y los registraban en sus gráficas. ¡Oh, qué divertido fue educar a mis tres hijos!

Esos primeros años hicimos muchas actividades de cocina y de lectura. Mis tres hijos leían sin parar, lo que hizo que mi corazón de maestra se sintiera muy feliz, mi corazón de madre muy orgulloso y mi corazón asustado de novata educando en casa se tranquilizase. Porque la verdad es que si tus hijos leen por placer, la mitad de su camino educativo ya está recorrido.

Al mismo tiempo que sentí alivio, la jovencita que hay en mí sintió celos. Ojalá hubiera leído tanto cuando yo era niña. Empecé a leer por ocio a una edad avanzada. Hace pocos años descubrí que tengo afantasía. Esto hace que no pueda visualizar las imágenes en mi cabeza cuando leo. De ahí que la lectura no me resultara una actividad placentera de niña.

Por culpa de mi afantasía tampoco podía entender a mi hija.

Cuando se volvió una lectora empedernida, solía decirme:

«¡Me encanta leer libros! ¡Es como si estuviera en una película! Lo veo delante mis ojos».

«¿Qué dice esta loca?», pensaba. Resulta que la loca soy yo. Desgraciadamente, no veo la cara de los personajes, ni su cabello, ni tampoco la ropa que llevan. No veo la habitación ni el paisaje que el autor describe en la narración. Solo veo palabras en una página.

Cuando mis padres y mi hermana nos visitaron durante aquellos primeros años, nuestros encuentros fueron oportunidades de aprendizaje. Perfectas para mis criaturas, que estaban practicando mi lengua y aprendiendo mi cultura.

Mis padres son de Catalunya, donde la mayoría de la gente nunca ha escuchado hablar de *homeschooling*. De hecho, educar en casa en España no es legal, pero tampoco es ilegal. Ya hay algunas familias que están educando sin escuela y luchando para que sea regulado. Algunas familias han conseguido educar libremente a sus hijos con éxito y sin problemas. Otras han sido «pilladas», pero, después de ir a juicio para defender su postura, no han sido multadas y siguen educando en casa; algunas, desgraciadamente, han sido multadas y sus hijos obligados a volver al colegio. Espero que este libro sirva para concienciar y pronto se regule la posibilidad de educar fuera del sistema escolar, como ya se hace en otros países como mis vecinos Canadá y México, y también en Inglaterra, Irlanda, Bélgica, Australia, Sudáfrica y Chile.

Imagínate la sorpresa que les di a mis padres. Me criaron para ser una mujer educada y triunfadora en el mundo laboral. Luego su alocada hija se marchó de su preciosa tierra catalana, migró a los Estados Unidos y se casó con un americano mucho mayor que ella. Y por si eso no fuera suficiente, su hija rebelde sacó a sus tres nietecitos del sistema escolar para educarlos en casa.

Mis padres tenían que asimilar muchas cosas, y sabía que tendrían preguntas. Para prepararme, me armé con mucha información sobre la educación libre. Cuando mi madre empezó con sus preguntas sagaces, yo ya tenía mi escudo a punto.

Todas las preguntas de mi madre se fundían en una: «pero ¿cómo sabes que están aprendiendo?».

Créeme, lo sabes. No hay necesidad de examinar. Los niños te cuentan apasionadamente todo lo que han aprendido en un documental. Comparten lo que escucharon en una TED Talk o en un pódcast. Quieren hablar sobre el libro que les encantó. Debaten contigo sobre temas de actualidad que salen en las noticias. De hecho, es tanta la información que comparten conmigo que mi cabeza a veces está a punto de estallar.

Mi padre, por otro lado, comprendió el *homeschooling* bastante bien. No solo porque nunca le han gustado las maestras de escuela, sino porque, además, su madre no lo mandó a la escuela; Mi abuela optó por no escolarizar a mi padre en la escuela primaria durante la época del dictador Franco en España.

Mi abuela, viendo el panorama político, decidió no inscribir a mi padre en el sistema educativo de aquella época. Su amor por su primer hijo y la cultura catalana la motivó a mandar a mi padre a aprender con una maestra catalana. Esta maestra enseñaba a estudiantes de diferentes edades todas las asignaturas escolares en secreto. A mi padre le encantó esa profesora y tiene buenos recuerdos de haber podido aprender en ese ambiente de grupo tan pequeño.

Durante mi infancia, tengo muchos recuerdos de mi padre consultando la enciclopedia en el salón. Siempre que le picaba la curiosidad sobre algo y quería respuestas, las buscaba. Recuerdo que me reía de él porque literalmente dejaba lo que estaba haciendo para alimentar su mente hambrienta.

En aquel momento, no podía entender por qué mi padre quería leer y aprender.

Yo fui la típica niña que estudiaba por obligación y por supuesto detestaba abrir un solo libro de texto en mis días libres. De hecho, cuando terminé la universidad estaba tan quemada de estudiar y pasar exámenes que el día de la graduación grité: «¡Ya no voy a leer más libros!». No sabía que años más tarde me convertiría en un ratón de biblioteca e incluso escribiría mi propio libro. Hoy en día, somos nosotros, mis hijos y yo, los que dejamos todo para consultar en una enciclopedia lo que nuestra mente curiosa quiere aprender.

Después de unos años de actividades y oportunidades educativas gratuitas, con el tiempo empezamos a invertir para acceder a nuevas experiencias. Inscribí a los niños en un grupo de atletismo para familias que educan en casa, compré un bono Groupon para la escalada profesional de árboles, otro para patinar sobre hielo y tiro con arco, etc. Y las pasiones de mis hijos afloraron gracias a todas esas actividades. Empezaron a pedirme repetir o participar en más experiencias relacionadas con algunas actividades concretas que les apasionaban. Y para ello sí que se necesitaba más dinero.

Hacer escalada era caro, igual que el patinaje sobre hielo o las clases de tiro con arco. Pero no me malinterpretes. No es que nos pasáramos todos los días fuera de casa; hubo muchos sin salir de nuestro hogar, y mis hijos se lo pasaban muy bien entreteniéndose en casa. Solían pasarse horas jugando con sus *Playmobils*, sus peluches, sus LEGO y jugando a representar. Eran un grupo estupendo, una maravillosa manada de tres que siempre jugaban juntos. ¡Huy! Y cuando los vecinos nos veían jugar en la terraza, rápidamente se apuntaban y se lo pasaban bomba.

*No es necesario tener edificios
escolares para tener escuelas
y no es necesario tener escuelas para
tener educación.*

John Holt

LA COOPERATIVA

«¡Nos vamos a perder la fiesta de San Valentín!». Mi hijita Afrika, tan sociable, se quejó. Estaba bastante preocupada.

Era febrero y tan solo hacía un mes que educaba en casa. Me sentía muy insegura por la falta de experiencia, no tenía suficiente confianza en mí misma. Acuérdate de que me lancé a ser una madre que educa en el hogar sin apenas tiempo para preparar o estudiar cómo demonios iba a hacerlo.

A mi hija le daba igual que yo todavía estuviera averiguando cómo organizarme y qué método iba a seguir. A ella le inquietaba perderse la fiesta de San Valentín del colegio y su preocupación fue un detonante para esforzarme en no fracasar como madre de educación libre. Así que me metí de cabeza en Internet a investigar.

Navegué y navegué en Google en busca de una fiesta de San Valentín organizada por familias *homeschool* en Atlanta a la que mi hija Afrika pudiese asistir. Y descubrí la cooperativa Atlanta Homeschool Cooperative. Esta cooperativa la constituyó un grupo de padres y madres para crear un entorno seguro en el que los niños y las niñas recibieran clases una vez a la semana, fueran de excursión, jugaran en el parque e hicieran amigos.

Nos inscribimos en la cooperativa, que por suerte estaba muy cerca de nuestra casa. Allí conocimos a nuevos compañeros y asistimos a clases impartidas por algunos padres. Mis hijos hicieron amistades fácilmente, y yo también. Se generó entre nosotros una conexión especial, porque compartíamos problemas, preocupaciones, ilusiones, conocimiento, etc. Cuando surgía un problema, alguien ofrecía buenos consejos porque ya había pasado por ese problema anteriormente.

Entre la cooperativa, los nuevos amigos y los vecinos traviesos de la misma edad, mis hijos socializaban y estaban muy activos. Este es el primer cambio que percibí. Mis hijos tenían más tiempo de juego y de socialización que cuando estaban en el colegio. Además, pasaban una gran parte de la jornada al aire libre, en la naturaleza.

En la cooperativa conocí a Amity, Diana, Cayce, Beth, Milena y muchas otras madres más. Estas mujeres han sido muy valiosas para mi crecimiento como madre educadora. Cada una me ha enseñado algo que me ha hecho crecer y mejorar.

La cooperativa también proporcionó a mis hijos un club de lectura, un laboratorio de ciencias y aventuras con varias familias. Y un regalo especial: conocer a Marilyn.

Marilyn es una profesora muy querida en nuestra comunidad. Una veterana de la educación en casa con un hijo mayor ya graduado en la universidad y trabajando de músico. Ella tuvo la amabilidad de invitar a mis tres hijos a unirse al grupo que creó para sus dos hijos menores, Javy y Teo. En la comodidad de su casa, Marilyn daba clases a ese grupo una vez a la semana. Y a cambio, sus gemelos venían a mi casa cada semana y yo les ayudaba con la lectura y la escritura.

Marilyn no era una educadora al uso. Era una docente cariñosa, fantástica, creativa. Nos daba muchos recursos. Además, también era la directora del campamento de verano de Peacebuilders, así como voluntaria de El Refugio, un lugar donde se ayuda a los inmigrantes detenidos. Se me caía la baba cada vez que la ayudaba. Verdaderamente aprendí un montón las veces que asistí a sus clases, tan participativas y dinámicas.

Esta mujer tan fenomenal enseñó a mis hijos geografía de los Estados Unidos, así como los naturalistas más importantes. Pero, aunque mis hijos se lo pasaron superbién aprendiendo en esas clases, Afrika adora aprender sobre naturalistas y

Konji es fanático de la geografía, desafortunadamente las siguientes clases fueron de historia y mis dos peques perdieron interés por asistir. Los intereses de mis dos hijos menores y las clases que Marilyn quería ofrecer no encajaron. Así que solo Jaume se apuntó a sus clases de historia de los Estados Unidos y más adelante de ciencias, que daba su marido, un profesor de la Universidad de Spelman.

Las clases de Marilyn no eran solo en su casa. Organizaba una gran cantidad de excursiones. Fuimos a una en el lago Lanier, donde a bordo de un barco y con un educador privado, lo aprendimos todo sobre el agua de un lago y sus propiedades únicas. Fuimos al interior de una cueva que era tan grande y hermosa que algunas personas celebraban bodas en ella. Visitamos el Museo de Arte Occidental Booth para ver una exposición de fotografías de John Muir, un entusiasta de las actividades al aire libre. Fuimos a la tienda de buceadores Divers Supply Store, en Marietta, donde practicamos submarinismo en su piscina. Y visitamos el Museo George Washington Carver en Tuskegee, Alabama, donde me enamoré de Carver. ¡Qué hombre tan inteligente y respetuoso con el medio ambiente!

Otro regalo que la cooperativa nos trajo fue Leanna, una maestra certificada de Montessori. ¡Qué suerte tuvimos cuando Leanna montó un grupo en su casa llamado Grupo de Proyectos y nos invitó a unirnos! Una mañana al mes, Leanna instruía al grupo sobre un tema específico, y el resto del día, los niños y las niñas montaban un proyecto sobre ese tema específico que acababan de aprender. Este grupo tuvo mucho éxito. Tanto, que la propia hija de Leanna pidió más actividades de aprendizaje a su madre, quien acabó por abrir una pequeña «escuela» en su casa.

Formamos parte de la Cooperativa Homeschool de Atlanta durante siete años. Cuando mi hijo mayor cumplió catorce años, pidió dejar de asistir a las clases de la cooperativa. A pesar de ello, Jaume siguió saliendo con sus amigos de ese centro. Mis otros dos hijos siguieron yendo hasta que su afición por la hípica se apoderó de todo su horario. A partir de ese momento, abandonaron también las actividades de la cooperativa.

Los niños aprenden a través de todo y de cualquier cosa que vean. Aprenden dondequiera que estén, no solo en lugares especiales de aprendizaje.

John Holt

JOHN HOLT

«¡Estoy en la cama con John Holt!».

Me reí un montón con este post que publicó mi amiga Beth en el muro de Meta (Facebook) de la Cooperativa Homeschool de Atlanta.

«¿Es que John me está poniendo los cuernos?», respondí de broma. «Ayer por la noche estaba en la cama conmigo».

Muchas mamás que también estaban leyendo o ya habían leído los libros de Holt empezaron a bromear. Estábamos todas fascinadas aprendiendo con los libros de John Holt.

Haber leído sus libros ha sido tremendamente beneficioso para mi carrera de educadora. De verdad creo que su trabajo es de lectura obligatoria si planeas educar de forma libre a tus peques. Estoy muy agradecida a la mujer que conocí en el vestíbulo del Centro Cívico de Arte, que en su momento me sugirió leer a John Holt. Ella educó libremente a sus tres hijos y estaba satisfecha con los resultados.

Me leí todos los libros de Holt por el orden en que fueron publicados. Fue fascinante observar la transición de Holt como maestro de escuela hasta convertirse en *desescolarizador*.

En su etapa de maestro, John advirtió que los alumnos no aprendían por placer ni para adquirir conocimiento, sino para complacer al maestro. Se dio cuenta, al igual que el pensador austriaco Iván Illich, de que las escuelas no funcionaban, y vio que la escolarización obligatoria destruía la curiosidad innata de los niños.

En sus libros, Holt propone acciones sobre cómo mejorar la educación y argumenta que los estudiantes deben ser liberados de las escuelas para que aprendan lo que quieran, cuando quieran y donde quieran. Según él, la ineficacia de la escolarización formal arrebata a los alumnos la capacidad de aprender.

Sin duda no hubiese podido iniciarme en el mundo de la educación libre sin los libros de John Holt. Sus enseñanzas y descubrimientos, sus teorías educacionales, su súplica para una reforma escolar, y su llamada a los padres y las madres para que no replicaran la educación formal en sus hogares fueron de gran ayuda para desescolarizar mi mentalidad.

Al terminar el último libro de John Holt, sentí que había completado una tesis doctoral en educación. Me sentí capaz y muy segura para despertar en mis hijos la curiosidad y el gusto por aprender. Poco imaginé en ese momento que los intereses de mis niños y mi niña los llevarían a estudiar todos aquellos temas que yo no soporto, que me aburren, o sobre los que tengo escaso conocimiento.

En la universidad en la que me gradué como educadora no aprendí tanto sobre educación como lo hice con John Holt. Ni tampoco aprendí tanto cuando estudié para obtener el certificado de maestra en Georgia. Recuerdo estudiar a la famosa Montessori, a Piaget, a Waldorf y la pedagogía Reggio Emilia, pero no a John Holt.

¿Por qué?

*Aprendemos a hacer algo haciéndolo.
No hay otra manera.*

John Holt

CATALUNYA

Ser inmigrante y ver crecer a tus criaturas en un país que no es el tuyo es una píldora dura de tragar. Es una sensación agridulce. Siempre he echado mucho de menos mi tierra, Catalunya, donde nací y crecí.

Si estuviéramos en España, mi hijo de tres años ya estaría en la escuela pública.

La comida de la escuela es mucho más saludable en mi país.

¿Qué es esto? ¡Niños de cinco años recitando el juramento a la bandera cada día antes de empezar la clase!

También a menudo pienso en las experiencias de la vida diaria que mis hijos se están perdiendo. Nunca van a cruzar al otro lado de la calle para comprar una barra de pan en la panadería del barrio, donde el panadero te conoce y sabe el nombre de cada miembro de la familia.

Por supuesto, hice todo lo que pude para traer mi cultura y mis costumbres a nuestro hogar. En casa siempre hemos celebrado las fiestas tradicionales catalanas, pero cuesta competir con la cultura americana.

Cada año, cuando llega la Castanyada, una fiesta popular que se celebra el 31 de octubre, víspera de Todos los Santos, y en la que es tradición comer castañas, boniatos asados, *panellets* (unos dulces elaborados a base de una pasta hecha de azúcar y almendra, a veces de patata o boniato…) y beber *moscatell*, un vino dulce, es difícil celebrarla y darle la importancia que merece porque coincide con Halloween, la mejor fiesta para los niños norteamericanos; ese día, se disfrazan y llaman a las puertas de los vecinos para pedirles dulces. A mis peques no les interesaba tostar castañas ni preparar *panellets* porque andaban felizmente ocupados clasificando y contando la cantidad enorme de caramelos y chocolatinas que recogían por todo el vecindario.

Pero este no es el único conflicto en el calendario de festividades. En España, el 6 de enero es el día más entrañable de la Navidad. Llegan sus majestades los Reyes Magos de Oriente a traer regalos a todos los niños y las niñas del país que se han portado bien durante el año. En Estados Unidos, el 6 de enero no es festivo y los niños tienen que ir al colegio.

A pesar de que el calendario americano no cuadra bien con los festivos de mi cultura, y de que a menudo yo era la única que los celebraba mientras el resto de Estados Unidos iba en otra dirección, me organicé medianamente bien para festejar gran parte de ellos. Siempre ponía buena cara e intentaba pasarlo lo mejor posible. Pero, si te soy totalmente sincera, me dio pena que mis hijos se perdieran la experiencia de vivir en Catalunya algunas fechas muy señaladas.

A día de hoy mis hijos aún no han celebrado una Diada de Sant Jordi en Catalunya. Sant Jordi se celebra el 23 de abril y ese día las calles se inundan de vendedores de libros y de rosas, que todos compramos para regalar a nuestros seres queridos. Nuestra celebración particular en Estados Unidos es un poco diferente. Cada año, en este día tan especial, vamos a Barnes & Noble y compramos un libro para cada miembro de mi familia.

Un día, cuando ya llevaba diecinueve años en Estados Unidos, recibí una sorpresa muy especial el día de Sant Jordi. Mi amiga Beth se presentó en la clase de gimnasia de nuestros hijos para regalarme una rosa. ¡Qué ilusión y qué llorera!

Brian y yo hemos llevado a Barcelona a nuestros hijos siempre que hemos podido. Hemos pasado muchos veranos y Navidades allí, pero no tantos como me hubiese gustado. La vida y sus problemas a menudo se interponen. Mis padres han venido a visitarnos algunas veces también, y mi hermana, mi hermano y su familia, y mis primas.

Así que, queridos lectores, una vez me di cuenta de que no estábamos atados a nada, yo no trabajaba, mis hijos no iban al colegio, mi marido Brian estaba ganando más dinero de lo habitual, decidí llevarme a mis tres peques a España para pasar una larga temporada. Quise ir una temporada bien larga porque, en las visitas que habíamos hecho en verano o Navidad, justo cuando mis hijos empezaban a familiarizarse con el idioma, llegaba el dichoso momento de partir. Esta vez iba a ser diferente: ¡nos fuimos para cinco meses!

El viaje empezó en agosto del 2013. Justo después de que mis primas se marcharan. Mireia y Júlia vinieron a pasar el verano con nosotros en Estados Unidos. Lo pasamos fenomenal. Unos días después de su partida, los niños y yo dejamos a mi marido y a todas nuestras mascotas en Atlanta para viajar a España. Mientras en agosto los alumnos de la enseñanza reglada de Atlanta empiezan otra vez las clases, los niños y las niñas de España siguen de vacaciones. De hecho, prácticamente toda España está de vacaciones.

Mi padre, un brillante cirujano pediátrico recién jubilado, estaba completamente disponible para atender nuestras necesidades durante toda nuestra estancia, así que se convirtió en nuestro taxista y en nuestro compañero de aventuras.

La primera parada de nuestro viaje fue Cadaqués, un pueblo precioso de la Costa Brava donde mi cuñada y sus padres tienen una casa.

Durante agosto también visitamos a mi tío Titi y a su familia en Ripoll, un pequeño pueblo de montaña al norte de Catalunya. Mientras estuvimos allí, el pueblo celebraba un Mercado Medieval. En ese viaje, mis primas nos llevaron a un lugar secreto que solo conocen los locales, un pequeño lago precioso y mágico con una cascada.

Fuimos a ver a mi tío Salvador y a su familia a su casa de veraneo en l'Ametlla del Vallès. Allí hicimos excursiones y pasamos horas en su piscina, disfrutando con mis primos (mi primo más joven, Marc, solo tiene dos años más que Jaume). También visitamos a mi tío Joan y su familia, que también tienen piscina. Nos llevó a navegar por el mar en su pequeña barca. Fue una maravilla ver a mis hijos relacionarse y crear lazos con miembros de la familia a los que no suelen ver.

A continuación, nos quedamos una semana en el velero de mi padre. Me encanta ese barco y navegar por el Mediterráneo. No quiero presumir, pero fui la niña más afortunada del mundo, ya que crecí pasando los veranos en el mar, navegando en nuestro barco hasta las Islas Baleares. Mi recuerdo favorito de mi niñez es el del verano en nuestro barco anclado en una cala de la isla de Menorca, donde teníamos que saltar al agua y nadar hasta la orilla para ir a comprar comida. Jugar todo el día en el mar es mi recuerdo más tierno, y estoy feliz de que mis hijos hayan tenido la oportunidad de hacer lo mismo.

Finalmente, pasamos una semana de vacaciones en una villa vacacional llamada Cala Montjoi, cerca de Roses, en la Costa Brava. Mi tío Salvador encontró una gran oportunidad que compartió con mi padre.

La villa necesitaba un médico en el recinto por razones de seguridad. Mi tío convocó a varios médicos y enfermeros, incluido mi padre, ofreciéndoles la oportunidad de pasar una o dos semanas en la villa. El contrato requería que estos profesionales estuvieran de guardia las veinticuatro horas del día, pero se les pagaba por trabajar algunas horas y podían alojarse en la villa de forma gratuita.

Mi familia hace décadas que veranea allí, desde que mi hermana tenía un año de edad. De hecho, aprendió a caminar allí. Mientras estábamos en Cala Montjoi, mi hijo mayor tuvo la oportunidad de practicar submarinismo con un antiguo amigo mío, y yo pude disfrutar de momentos de gran calidad con mis dos sobrinos.

A lo largo de nuestra estancia, mis hijos pasaron mucho tiempo en el mar, lo cual es importante para mí. Nuestro Mediterráneo es bastante diferente del Océano Atlántico o del Golfo de México. La fauna y la flora son muy diferentes, y quería que mis hijos lo experimentaran lo máximo posible.

En el último evento del primer mes en mi país, mi madre organizó, como hace todos los años, una cena familiar. Cada verano reúne a toda su familia: tres hermanos y una hermana, junto con sus cónyuges e hijos. Tengo trece primos, y la mayoría de ellos tienen pareja e hijos. Ellos también están invitados. Es una gran fiesta que mi madre bautizó como «La cena de blanco», porque todos debemos asistir vestidos de blanco.

Por primera vez celebramos en Catalunya los cumpleaños de Afrika y Konji en septiembre. Y por primera vez, mis hijos tuvieron la oportunidad de acudir a la Festa Major de Sabadell —la ciudad en la que crecí—, que se celebra a principios de septiembre. Hay conciertos por todas partes, bailes folclóricos en todas las plazas, actividades para grandes y pequeños.

Estaba eufórica porque mis hijos por fin experimentaban ese ambiente festivo. Había intentado describírselo anteriormente, pero era difícil. La Festa Major es el tipo de evento que solo puedes entender si lo vives allí. Presenciaron els *castellers*, una tradición catalana única declarada Patrimonio Inmaterial de la Humanidad por la Unesco. Observaron *els gegants*, marionetas gigantes que bailan por las calles. Fueron a la tradicional feria con los autos de choque, montañas rusas y algodón de azúcar. Asistieron a los famosos *correfocs*, contemplando cómo pirotécnicos disfrazados de diablos desfilaban por la ciudad. La mayoría de las personas observa el espectáculo a una distancia prudencial, mientras los más osados se cubren con ropa mojada y lo siguen de cerca. Fue una maravilla, una experiencia alucinante para mis peques.

Visitamos a más familiares: mi madrina Àngels, que es la hermana de mi padre, mis primos y sus hijos. El hermano de mi padre, el tío Joaquim, nos llevó de excursión a La Mola, una montaña cercana en la que crecí haciendo excursiones con mi familia y con mis compañeros de colegio.

La mayoría de estas aventuras las pasé con mis dos sobrinos Iker y Julen. Pero en España, entre mediados de septiembre y principios de octubre empiezan las clases en toda la enseñanza reglada: escuelas, colegios, universidades… y llegó el momento de que Iker y Julen regresaran a la escuela, y todos los demás —mi madre, mi hermano y la mujer de mi hermano— volvieran a su rutina laboral. Así que mi padre, mis hijos y yo empezamos nuestra propia rutina, que consistió en una tremenda cantidad de excursiones.

Mi excursión favorita fue visitar un viñedo que permitía a los invitados participar en el proceso de elaboración del vino. ¡Tuvimos la oportunidad de aplastar uvas con los pies!

En octubre, pasé una semana en casa de mi hermano. Vive en Sant Joan Despí, una ciudad muy cercana a Barcelona. Alojarnos allí nos facilitó a mis hijos y a mí la visita a todas las hermosas y majestuosas maravillas que ofrece Barcelona. Como ventaja, además, pudimos visitar a mis dos sobrinos después de su horario escolar.

En Barcelona fuimos al Parc Güell, a la Sagrada Família, al Arc de Triomf, al Museo del Chocolate, a la Pedrera, a la Casa Batlló. Éramos como unos turistas.

Todas esas salidas venían acompañadas de conversaciones que llevaban a un aprendizaje alucinante. Aunque las visitas a esos sitios fueron muy educativas, el momento más asombroso fue llevar a mis hijos a la famosa Plaça de Catalunya y repetir lo que yo hacía cuando era niña. De pequeña, compraba comida para pájaros a un vendedor ambulante, me la ponía en la palma de la mano y dejaba que las palomas se acercaran. ¡Es una actividad tan bonita! Hacerlo con mis hijos fue un regalo.

Sant Joan Despí es donde entrena el Barça. Un día, mientras paseábamos por allí, nos dimos cuenta de que había un grupo de personas reunidas. Pregunté qué estaban haciendo. Un hombre me sorprendió diciendo: «Messi está a punto de salir. Su entrenamiento de hoy ya ha terminado». Por supuesto, mis hijos y yo nos apuntamos. Después de todo, Messi es el futbolista más famoso del mundo. No tuvimos que esperar nada: de pronto salió un todoterreno negro. Inmediatamente, todo el mundo empezó a hacer fotos, y efectivamente era él, Leo Messi, delante de nuestros ojos, solo por un instante.

Pasé otra semana en casa de mi tío en Ripoll. Estuvimos con mi tía Núria y mis dos primas Júlia y Mireia, las mismas con las que nos lo pasamos en grande durante el verano en Atlanta. Ripoll nos ofreció el encanto de un pueblo, naturaleza, excursiones, rutas en bicicleta, vacas, ovejas, caballos, montaña y un río. Cuando mi familia se iba al trabajo y al colegio, nosotros nos paseábamos por ese pueblo tan bonito. Alquilamos bicicletas e hicimos una excursión inolvidable, visitamos museos y fuimos de excursión a la montaña que hay detrás de la casa de mi familia. Por las noches, pasamos unos ratos maravillosos en familia. Un regalo magnífico.

Y cuando crees que las cosas no pueden ir mejor, ¡mejoran! Llegó el 31 de octubre, el día en que celebramos la Castanyada y los niños de Estados Unidos celebran Halloween. Rodeados de mi cultura, mis hijos por fin celebraron la Castanyada como Dios manda.

Mi tía Blanca, una mujer inteligente, responsable y pacífica (algunos estamos convencidos de que es un angelito), es dietista. Trabaja en la distribución de alimentos en las escuelas. A mi tía Blanca le encanta cocinar, se le da muy bien. No recuerdo si se lo pedí yo o si ella se ofreció, pero siempre recordaré un taller que organizó en su pequeña cocina. Durante el taller, nos enseñó a hacer *panellets*. ¡Nos encantó la experiencia!

Todos los Santos (Tots Sants), el 1 de noviembre, es la fiesta que se celebra justo después de la Castanyada. Ese día, la gente va al cementerio a visitar a sus seres queridos fallecidos. Fue muy bonito poder enseñar a mis hijos dónde están enterrados mis abuelos. Los cementerios de mi ciudad son muy diferentes a los de Atlanta. Algunos ataúdes se entierran en el suelo, pero la mayoría se colocan en una tumba en una pared, alineados uno al lado del otro.

Una de las bibliotecas públicas de la ciudad de mis padres, Sabadell, ofrecía un programa gratuito para niños en edad escolar. Enseguida apunté a mis hijos. Este programa ofrecía educación literaria, combinada con un poco de ciencia. A lo largo del programa, crearon un huerto y estudiaron las verduras según la estación adecuada para cultivarlas. En Navidad, todos los niños nos obsequiaron con una maravillosa actuación. Qué sorpresa y que emoción ver a mis hijos en una obra de teatro en mi ciudad y en mi idioma.

Brian, mi marido desde hacía doce años en aquel entonces, vino a visitarnos. Mi hermana, una romántica incurable a la que le encanta exagerarlo todo, se enteró de que era nuestro aniversario de boda, así que nos obligó a «casarnos» de nuevo. Organizó una ceremonia de boda en el salón de mis padres. Jaume fue el fotógrafo y mi madre preparó un pastel.

Con la visita de Brian, hicimos más excursiones, escalamos más montañas e investigamos más museos. Visitamos Figueres, donde está la fundación del célebre pintor surrealista Salvador Dalí, y saboreamos su increíble arte.

Como a Brian le encanta el montañismo (igual que a Afrika), ¿qué mejor lugar que Catalunya, con sus preciosas montañas? Lo llevamos a las montañas del Montseny y al valle de Núria.

Noviembre también nos trajo el nacimiento de uno de los bebés de mi prima. Tengo muchos primos, y me he perdido muchas de sus bodas y llegadas de bebés. Me perdí la boda de mi prima Ariadna después de dar a luz a mi hija en Atlanta. También me perdí la boda de mi primo Pol, pero afortunadamente sí asistí a la de mi prima Georgina. Esta vez, tuve la oportunidad de ir al hospital, felicitar a Georgina por su nuevo bebé, y conocer y tener en mis brazos a la recién nacida.

Se acercaba el Día de Acción de Gracias (*Thanksgiving*). Aunque no es una fiesta española, decidimos celebrarla. Mis hijos y yo casi nunca hemos cocinado la cena de Acción de Gracias. Durante muchos años fuimos invitados a casa de Karen, la hermana mayor de Brian. Ella siempre organiza magníficamente las fiestas de Acción de Gracias con exquisitas comidas. Últimamente, hemos alternado ese día festivo entre Karen y Craig, el hermano de Brian, a quien también le gusta organizar fiestas. Como esta tradición no es parte de mi cultura, siempre he aceptado lo que Brian quería hacer ese día en particular. Pero, en casa de mis padres, pensé que sería una buena idea que mis hijos y yo mostráramos a mi familia catalana qué rica sabe una comida de Acción de Gracias.

Me encantó pasar tiempo con mis tíos y tías cuando me invitaban a cenar a su casa. Era una gozada ponernos al día de nuestras vidas con tranquilidad. Pero no todo el tiempo que pasé en mi país fue una historia feliz. También tuvimos algunas crisis.

Mi hermana Mariona, nueve años menor que yo y doce que mi hermano, tiene síndrome de Down. En esa época estaba pasando por algunas dificultades de control emocional. A veces se ponía celosa y reaccionaba con ira. Al no saber canalizarla correctamente, entraba en crisis.

Por alguna razón, Mariona sintió envidia de Afrika. Un día, se puso a buscar entre las pertenencias de mi hija hasta que encontró su flauta. Afrika estaba recibiendo clases de flauta travesera en Atlanta y decidió traer la flauta a Catalunya para practicar. Desafortunadamente, mi hermana, enfurecida, la estropeó.

Otra situación desagradable fue cuando Mariona se enfadó tanto que me gritó, me insultó y me pegó. Yo también le pegué, ¡y mis tres hijos lo vieron absolutamente todo! Esas crisis, en mi opinión, son momentos de gran aprendizaje.

A mi padre siempre le ha gustado esquiar. Cuando mis hermanos y yo éramos pequeños, nos llevaba a esquiar durante una semana. Odio el frío. Detesto cuando la nieve me moja los guantes por dentro. Y detesto esquiar cuesta abajo en la montaña, tratando de no caer o de no chocar con nadie. A pesar de mi odio por este deporte, quería que mis hijos lo experimentaran. Así que en diciembre, justo antes de las vacaciones de Navidad, llevé a los niños a los Pirineos.

Gracias a mi padre (que reservó y pagó todo) y a mi madre (que pidió a los familiares ropa de esquí prestada), mis tres hijos tuvieron un viaje de esquí increíble e inolvidable. No solo viajaron a Andorra y se lo pasaron fenomenal con el abuelo, sino que también tuvieron un profesor particular y una experiencia de esquí excepcional.

Durante las vacaciones de Navidad, apunté a mis hijos a L'Obrador, un centro de actividades extraescolares que ofrecía un campamento de invierno. Ubicado muy cerca de la casa de mis padres en Sabadell, L'Obrador es un centro en el que los niños aprenden a trabajar la madera de forma práctica. Serrar, clavar, martillar, pintar y construir objetos con madera. Mi hermana iba allí cuando era pequeña, al igual que mis primos y sus propios hijos. La mayoría de la gente de la ciudad está encantada con L'Obrador.

Hicimos más excursiones. Visitamos la mágica y asombrosa montaña de Montserrat y un bombero, el marido de mi prima, nos dio una clase. Nos enseñó todo lo que hay que hacer y lo que no hay que hacer para evitar los peligros del fuego; por ejemplo, no tirar agua a una brasa llena de grasa. Y paseamos por la tradicional Fira de Santa Llúcia, formada por vendedores de artículos navideños, una actividad típica de mi cultura que en Atlanta no se encuentra.

Incluso vimos tres veces la obra *Els Pastorets*. Una obra de teatro navideña muy tradicional y muy querida que yo adoro. Mis hijos también. Fuimos a ver la obra en el teatro principal de la ciudad, La Faràndula, y la vimos también en el teatro de nuestro barrio y en el colegio donde mi prima es la directora. ¡Mi prima dirigió la obra! Quedé impresionada con mi prima Cristina, tan inteligente, espectacular y talentosa. Es de mi misma edad. Crecimos juntas y su creatividad es increíble. Escribe, coreografía y dirige *Els Pastorets* cada año. El curso superior de su escuela interpreta la función cada año, y me encantó verlo.

Por último, en enero celebramos mi cumpleaños. Pero esa no fue la única ilusión del mes. Pudimos celebrar en mi propio país la fiesta que más adoro, la fiesta en la que mis hijos tuvieron que ir al colegio en numerosas ocasiones y que aprendieron a celebrar los fines de semana o después del horario escolar. *¡Els Reis!* El 5 de enero, la noche de los Reyes Magos, fuimos a ver la cabalgata por las calles para festejar su llegada. En la cabalgata los tres Reyes Magos desfilan junto con sus ayudantes y sus camellos, cargados de regalos, incluido el carbón que dan a los niños traviesos. (¡Una vez, de pequeña, me regalaron carbón!). Durante años, en Atlanta, vimos la cabalgata de los Reyes de Oriente en YouTube. Fue increíble ver por fin a los Reyes Magos *in situ*.

Durante estos cinco meses en mi país, decidí en secreto experimentar lo que se llama *radical unschooling* (la educación sin seguir ningún plan educativo o currículum), y desescolarizar mi mente. Con la excusa de estar lejos de nuestra casa y de visitar a la familia en Catalunya, sentí menos miedo y fue más fácil intentarlo.

Una vez has vivido la belleza de la educación libre, no hay marcha atrás.

Las personas deberían ser libres de encontrar o crear por sí mismas el tipo de experiencia educativa que quieren que sus hijos tengan.

John Holt

VENDER LA CASA

La educación sin escuela puede hacerse sin gastar apenas dinero. Con recursos gratuitos como la biblioteca, con un poco de creatividad, tratando siempre de encontrar soluciones y con la ayuda de la familia, de los amigos, de los vecinos y de otras familias en la misma situación, educar en casa es viable aunque no se disponga de un gran presupuesto.

Pero todos sabemos que si dispones de buenos recursos económicos accedes a más experiencias y a más bienes materiales.

A mis hijos les gustaba patinar, escalar, practicar tiro al arco, trepar árboles de forma profesional, etc. Estas actividades eran caras, e invertir en ellas me suponía restringir mis salidas a restaurantes, cines, etc. Además, a todos nos gustaba viajar a otros estados, a otros países, vivir nuevas experiencias, etc.

En invierno de 2015 tomamos una decisión crucial: vender nuestra vivienda para disponer de más presupuesto para la educación libre de mis hijos.

Decidimos vender la casa y mudarnos a una vivienda con una hipoteca más baja. Yo ya no aportaba ingresos a mi hogar y estaba cansada de no tener ni un céntimo. Mi vecina Alison, que se convirtió en una excelente amiga, es agente inmobiliaria. Qué suerte tuvimos de que Alison se encargó de todo y nos ayudó en la venta del inmueble.

Nos pasamos los meses de enero hasta abril poniendo la casa a punto. Después de deshacerme de los trastos inútiles de cada habitación, Alison me explicó exactamente lo que debía hacer para que la casa fuera atractiva para los compradores. Reorganizó las habitaciones, pintó y redecoró la vivienda para que quedara como una casa de revista. Al mismo tiempo, limpiamos a presión el exterior. Como toque final, Alison me prestó algunos de sus hermosos muebles y escondimos parte de mis muebles y trastos impresentables. ¡Precioso! Mi amiga es una diseñadora de interiores divina y, gracias a su talento, la casa quedó impresionante.

Durante la semana que estuvimos recibiendo visitas de posibles compradores para enseñarles la casa, di a mis hijos instrucciones estrictas. Nada de jugar con los juguetes. Nada de ensuciar. Solo videojuegos, ver la televisión o leer libros. Necesitaba que la casa estuviera siempre impecable. Para mantenerla así, pasamos la mayor parte del día en el parque.

Afortunadamente, solo tardamos una semana en vender la casa. Así de buena es Alison. No solo la vendimos por más dinero del que la compramos, sino que también encontramos una casa con la hipoteca a mitad de precio. Y además de ser más barata, la casa era más grande que la anterior y disponía de un patio trasero también más grande. Allí mis hijos disfrutaron de horas patinando, jugando a la pelota y pedaleando en bicicleta.

Cuando vi que en el jardín de enfrente asomaba un árbol grande y robusto, supe que aquella sería nuestra casa, ya que a Afrika le encantaba y necesitaba escalar árboles. Por supuesto, la casa también tenía sus defectos; entre ellos, una cocina horrible, pero estaba dispuesta a soportarlos.

Por fin teníamos dinero en el banco y una hipoteca más pequeña. Alison se aseguró de que la nueva casa estuviera en una buena calle de un buen vecindario. Incluso me dio algunos consejos para que la cocina pasara de ser fea a aceptable.

Ahora que nuestros ingresos se ajustaban a nuestras facturas, ya teníamos un buen presupuesto para nuestra vida sin escuela y para educar viajando por el mundo. Pero, como cada vez que yo planeo, Dios se ríe. Una vez más, mis planes se fueron al traste. Tuvimos que poner en *stand by* nuestros planes de viajar a Nueva York, ir a esquiar a Vermont y relajarnos en Hawái.

No hay diferencia entre vivir y aprender...

Es imposible, equivocado y perjudicial pensar que están separados

John Holt

LOS AÑOS EN EL CENTRO ECUESTRE

El mundo ecuestre me hizo sentir como un pez fuera del agua. Todo empezó un día de agosto del 2015.

Con la venta de la casa y con mi marido Brian ganando más dinero de lo habitual, podíamos permitirnos asistir a un campamento de verano caro.

Afrika, mi chiquita amante de los animales y admiradora del circo, nos pidió asistir a un campamento de verano de equitación.

La mayoría de las escuelas ecuestres están lejos de la ciudad, pero tuvimos la suerte de encontrar un recinto hípico más cercano. El Centro Ecuestre Ellenwood estaba a solo treinta minutos en coche. Inscribí a Afrika y Konji para una semana. Les gustó tanto que volvieron a la semana siguiente. Luego a la siguiente y a la siguiente. Se pasaron aquel verano en el centro ecuestre.

Terminado el campamento de verano, se apuntaron a clases de equitación durante todo el año. Con el tiempo se convirtieron en buenos jinetes, incluso en ayudantes, ya que conocían bien la hípica, sus normas y su rutina. En su función de asistentes, ayudaban a las dueñas del centro los fines de semana con las fiestas de cumpleaños. También ayudaban a los adultos novatos que venían a montar para un evento puntual.

A Afrika y a Konji les gustaba tanto ayudar que empezaron a colaborar también durante la semana. Alimentaban a los caballos, limpiaban el establo y como recompensa les permitían montar dos caballos, a veces incluso tres, cinco veces por semana. Huelga decir que adquirieron mucha experiencia en equitación. Les gustaba tanto la hípica que se convirtieron en monitores del campamento de verano con gran orgullo y entusiasmo.

A través de las clases de equitación y trabajando de voluntarios, hicieron nuevas amistades. Además, aprendieron mucho sobre los caballos y sobre hípica, tanto en el aspecto laboral como sobre la vida de los propietarios de un caballo. Esos años trajeron grandes aprendizajes en forma de buenas y malas experiencias, pero todos valiosos. Algunos caballos sufrieron cólicos, otros no se llevaban bien entre sí y otros pasaron por curas del veterinario.

A veces, había equipos de cámaras para filmar un vídeo musical, un cortometraje o un programa de televisión. A veces, venían periodistas a entrevistar a las dueñas. Otras veces, nos visitaban fotógrafos para realizar sesiones fotográficas a modelos o familias. Siempre había algo en marcha. El rancho dio a mis hijos una gran variedad de vivencias.

Afrika y Konji estaban tan plenamente dedicados a la hípica, a sus caballos, a sus amigos y a las competiciones ecuestres, que su devoción terminó poniendo nuestros planes de viaje en pausa. También hicieron, hicimos, varias veces de encargados de la hípica mientras las propietarias no estaban. Mis hijos eran los superexpertos del establo. Yo solo era la adulta que supervisaba desde la piscina.

Francamente, a mí no me gustan los establos ni los caballos, ni tengo ningún deseo de montarlos. De lejos sí que me gustan, pero no quiero estar cerca de ellos, ni acariciarlos, ni darles de comer. Sin embargo, la adoración tan grande de mis hijos por esos animales me hizo aprender a agarrar a los caballos por las riendas de vez en cuando. Y por si fuera poco, hasta aprendí a peinarlos y hacer trenzas en sus melenas para las competiciones de *dressage*; ¡me encantaba hacer de peluquera, se me daba bastante bien!

Durante mucho tiempo, mis hijos desearon ser propietarios de un caballo. De todos los niños y las niñas del centro ecuestre, cuatro de sus amigas tenían su propio caballo y algunas compañeras tenían caballos alquilados. La compra de un caballo me daba miedo. No la compra en sí, sino los gastos mensuales. Pagar la cuota mensual para mantener un caballo en el establo es caro, y me aterrorizaba la factura del veterinario si el caballo tenía algún problema de salud.

Además, Lynn, la propietaria del centro, creía que mis hijos estaban adquiriendo mucha experiencia y se estaban convirtiendo en muy buenos jinetes gracias a montar varios caballos cada día en vez de siempre el mismo. Eran tan buenos jinetes que los propietarios de los caballos pedían a Konji o a Afrika que montaran sus caballos los días que no podían asistir al establo.

Pero se me presentaron dos situaciones. A una de las niñas con más talento de aquel lugar se le quedó pequeña su yegua, Gracy. Al no querer separarse de ella y desear tenerla cerca en el mismo establo, la niña y su madre nos preguntaron si queríamos alquilar su hermosa yegua blanca.

Al mismo tiempo, otra madre del centro buscaba un tutor a media jornada para educar a su hija en casa y después llevarla al establo. Coincidencias de la vida o del destino, encontré trabajo como tutora ocupándome de esa niña, también educada en casa, y que además era amiga de mis hijos. Dos veces a la semana mis hijos y yo íbamos a su casa, y ella hacía deberes mientras los míos leían un libro (mentira, se pasaban hablando y riendo todo el rato, ¡qué divinos!), y después nos dirigíamos al establo.

Este trabajo me proporcionaba la cantidad exacta de ingresos para pagar el alquiler de un caballo en el establo, me daba la seguridad que necesitaba para alquilar a Gracy.

Era el mes de septiembre de 2019 y nos convertimos en «dueños» de un caballo.

*Los niños no solo son
extremadamente buenos
aprendiendo, sino que lo hacen
mucho mejor que los adultos.*

John Holt

¡CAMBIO!

Cuando menos te lo esperas, cuando crees que tus hijos están contentos siguiendo sus pasiones y todo anda impecablemente bien, uno de ellos rompe y tira a la basura esa perfección. Recuerdo nítidamente una mañana de principios de octubre cuando Afrika me sorprendió con su noticia bomba.

Era martes, alrededor de las 11 de la mañana, una hora antes de que tuviéramos que salir de casa para dirigirnos al centro ecuestre. Yo estaba de pie en la entrada de la habitación de Afrika y ella sentada en su cama con los ojos llorosos.

«Quiero dejar de montar a caballo», me dijo.

Mis oídos no daban crédito. Mi cabeza daba vueltas revisando en esos momentos todos los acontecimientos de los últimos meses y en especial uno: ¡acababa de encontrar el trabajo perfecto para pagar el alquiler del caballo! Habíamos logrado el pacto ideal para ser «dueños» del animal.

No era la primera vez que Afrika abandonaba una actividad o un *hobby* sin previo aviso. Años atrás también dejó de repente el violín.

Le expliqué pacientemente que no podía repetir el mismo comportamiento infantil que mostró con Cale, su profesor de violín. Animé a Afrika a ser más responsable esta vez. Le sugerí que avisara con dos semanas de antelación o al menos con una semana de antelación a la dueña del establo. Afrika se negó, y yo no insistí. Sospeché que había información que desconocía en toda esta situación.

Llevé a Konji al establo, porque todavía teníamos que atender al caballo, era nuestra responsabilidad montarlo a diario. Konji me contó durante el trayecto en coche que él también quería dejar la equitación. De hecho, estaba enfadado con Afrika. Los dos se pusieron de acuerdo para dejarlo juntos y contármelo también juntos. Su hermana se adelantó, deshaciendo el pacto entre ambos. Por suerte, Konji entendió que era su deber montar ese caballo que yo había alquilado hasta finales de mes.

Al llegar al establo, Lynn y Leah, la dueña y su hija, se sorprendieron de que Afrika no estuviera con nosotros. Ella nunca se saltaba ningún día de trabajo. Konji, en cambio, sí faltó algunos días para quedarse en casa y relajarse.

Lynn y Leah se quedaron de piedra cuando les expliqué la situación. Las tres charlamos un rato tratando de entender por qué Afrika quería dejarlo. No podíamos entenderlo.

Unos días más tarde, una de las chicas del centro me contó que Afrika y Konji se habían pasado todo el verano hablando de dejar la equitación, pero que sus amigas les convencían para seguir.

Qué decisión tan acertada fue alquilar aquel caballo en concreto de aquella familia, ya que la madre y yo no hicimos ningún contrato legal, solo teníamos un pacto amistoso. Cuando le expliqué la decisión de Afrika y Konji, lo entendió perfectamente y fue muy comprensiva. Y pocas semanas después mi trabajo de tutora terminó. La otra madre del centro ecuestre empezó a trabajar desde casa y no requería mis servicios. Menos mal que yo ya no necesitaba un sueldo extra para poder mantener un caballo.

Afrika escribió un correo electrónico de despedida a Lynn, y en noviembre, después de haber alquilado un caballo durante solo dos meses, empezamos una vida nueva y completamente diferente.

*Lo que más perjudica al aprendizaje
es el profesor que habla.*

John Holt

EL JUGADOR DE FÚTBOL

Recuerdo que las reacciones de mi familia cuando anuncié que mis hijos iban a tener una #vidasincole fueron parecidas a cuando les expliqué que iba a adoptar a Konji. Algunos familiares, algunos amigos y varios conocidos criticaron nuestra elección. Mostraban curiosidad, pero también recelaban de nuestra decisión. Muchos me dijeron a la cara (y quizás otros lo decían a mis espaldas) que no les gustaba nuestra alternativa.

Al igual que la adopción, educar sin escuela requirió una cantidad agotadora de explicaciones, porque algunas personas creen que su manera de vivir la vida es la correcta. Cualquier otra forma no solo les resulta extraña, sino también equivocada. Adoptar a mi hijo y desescolarizar a mis tres hijos han sido dos de las decisiones más acertadas de mi vida, porque la han enriquecido y la han mejorado, sin lugar a dudas.

Konji, diminutivo de Konjinet, fue el factor principal que me motivó a pasar del *homeschool* al *unschool*. Konji el tipo de niño que solo aprende cuando tiene ganas de aprender. Él es la razón por la que leí una enorme cantidad de libros de formación de padres. Es el niño que me enseñó a querer a las personas de la misma manera que se quiere a un gato: con su personalidad e independencia, sin tratar de domesticarlas o cambiarlas, permitiendo que se acerquen a ti cuando quieran, y siendo feliz con su felicidad.

Konji, el menor de mis tres hijos, dio señales de estar preparado para leer cuando tenía cinco años. Así que empecé a enseñarle. Podía leer palabras fáciles como *gato* y *perro*, pero cuando le pedía que leyera en voz alta para mí, se bloqueaba.

No quise interferir en su aprendizaje, así que me alejé. Sabía por mis lecturas y por algunas personas que aprendieron a leer por su cuenta sin ninguna instrucción que alejarme sería positivo. Lo que hice fue facilitarle a Konji el acceso a la lectura como una actividad disponible y atractiva.

Mi casa estaba y sigue estando llena de libros y revistas infantiles, así que había oportunidades de lectura por todas partes. Cuando era maestra de educación infantil, tenía material de lectura colocado en todos los centros de aprendizaje en los que los alumnos trabajaban. En un aula no debería haber lectura solo en el rincón de la biblioteca. La lectura y la escritura deben encontrarse en el área de juego, en el rincón de bloques, en el centro de ciencias y en cualquier otra área donde los alumnos estén. En casa, hice lo mismo. He descubierto que el mejor lugar para poner un libro o una revista es la mesa de la cocina, donde los niños comen.

En mi etapa de maestra de P5, los padres y las madres compartían conmigo su felicidad cuando sus hijos e hijas empezaban a leer. Estaban muy agradecidos conmigo, porque pensaban que yo había enseñado a sus hijos a leer. La verdad es que no les enseñé exactamente a leer. Lo único que hice fue ofrecerles una variedad de material literario. Además de libros, había catálogos, menús, canciones infantiles escritas en un póster, audiolibros, mensajes míos a diario, frases cortas en la pared y… mucho ánimo. Aquellos alumnos de parvulario a los que tanto adoraba aprendieron a leer por sí mismos. Yo solo les proporcioné los medios. Ellos hicieron el resto. He comprobado que un niño sin problemas de aprendizaje aprenderá a leer siempre que exista la oportunidad de hacerlo.

Me alegro mucho de haberme apartado del proceso de desarrollo de Konji mientras aprendía a leer. A diferencia de mis otros dos hijos y de los niños de parvulario a los que enseñé en otros tiempos, no enseñé a Konji las famosas palabras llamadas *sight words* que se enseñan en la mayoría de las escuelas de habla inglesa. Como por arte de magia, mi hijo de seis años empezó a leer libros de capítulos.

¿Cómo sé que entendía y comprendía lo que leía? Porque

se tumbaba en su cama y se partía de risa mientras leía la serie de libros *My Weird School Daze* de Dan Gutman. Se reía mucho porque entendía lo que estaba leyendo en esos libros tan divertidos. Sé que domina la comprensión lectora porque leyó *Las crónicas de Narnia* de C. S. Lewis y me lo contó todo. Porque leyó *Belleza Negra* de Anna Sewell y lo declaró su libro favorito. Para mí era obvio, sin la ayuda de ningún examen de comprensión lectora, que Konji era un lector entusiasta.

Este experimento me demostró que Konji podía aprender sin que le enseñaran. Su éxito me animó a probar el *unschooling* radical. Hasta entonces, tenía miedo de cambiar de forma brusca nuestra vida cotidiana de educación en casa, especialmente con Brian viviendo bajo el mismo techo. Así que en nuestro viaje a Catalunya, informé a mis tres hijos que íbamos a probar desescolarizarnos una vez allí, solo para ver si nos gustaba.

Mucha gente se asusta y se preocupa cuando haces *unschooling* y una de las preguntas recurrentes es: «¿Pero y las matemáticas y la ortografía? ¿Cómo va a aprender Konji todo eso?». Pues lo hizo. Aprendió matemáticas por su cuenta porque le interesa el dinero. El dinero le enseñó a contar, sumar, restar, y el concepto de multiplicar y dividir. La temperatura lo introdujo a los números negativos, medir con la regla lo introdujo a los números decimales. Te lo creas o no, aprendió matemáticas mientras jugaba con videojuegos. Los videojuegos fomentaron la lectura, la escritura, y muchas matemáticas. También aprendió a escribir por su cuenta. De hecho, mis tres hijos son muy buenos en ortografía. En cambio, a mí se me da fatal la ortografía en mi propia lengua, aunque yo sí fui a la escuela.

Algunas de las familias que educan en casa creen que los niños que leen mucho a una edad temprana aprenderán ortografía sin ningún problema. Aunque para mis hijos ha sido cierto, no lo es para todo el mundo. Hay personas a las que les cuesta memorizar la ortografía correcta de una palabra. No importa cuántos profesores tengan ni cuántas clases o exámenes hagan: la ortografía es una verdadera dificultad para ellas.

Konji no aprendió por arte de magia la mecánica de las multiplicaciones y divisiones complicadas. Me pidió que le enseñara. Una vez mi amiga Amity, que fue educada sin escuela, me dio un consejo que he tenido muy en cuenta. Este consejo ha funcionado muy bien con Konji. Cuando Amity era pequeña, nunca le importó la buena caligrafía hasta que se dio cuenta de que otros niños tenían mejor letra que ella. Ahí es cuando empezó a importarle. Con el fin de llegar al nivel de los demás, practicó y practicó hasta que su caligrafía fue hermosa. He utilizado este método con Konji y ha funcionado de maravilla.

Cuando Konji trabajaba y se divertía como nunca en equitación, entre jóvenes de todas las edades, sobre todo de Secundaria y Bachillerato, me pidió que le comprara un libro de matemáticas. ¿Por qué? Quería aprender las matemáticas de las que tanto se quejaban sus compañeros. Le compré unos cuantos libros de varios niveles. Hoy en día, cuando le apetece, estudia matemáticas. Cuando se encuentra con una operación difícil, me pide que le enseñe. Le explico de la manera que me enseñaron a mí cuando era joven y como se les enseña a los niños americanos. También le muestro vídeos de YouTube que explican lo que no entiende mucho mejor que yo. En especial, me encantan los vídeos de Math Antics.

Konji aprendió y sigue aprendiendo cuando quiere. Cuando era más pequeño quiso aprender a leer la hora. Yo, con mi mejor voluntad, recopilé todos los libros didácticos que tenía que enseñaban las horas y adquirí un reloj de juguete. Pero ese método no funcionó, porque Konji se bloqueaba y se desconectaba. Encontré aplicaciones que enseñaban a dar la hora, pero tampoco sirvieron. Decidí dejar de enseñarle con los métodos escolares y las *apps*, y les compré, a él y a su hermana, un reloj de pulsera analógico para cada uno.

Con el reloj analógico puse en marcha un método. Esperé a que fuera exactamente la una y cada cinco minutos les decía qué hora era. Solo tardaron un día en aprender la pauta del reloj sin ningún problema.

A Konji le interesaba la geografía. Qué tierno era verlo tumbado en el suelo alfombrado de la biblioteca pública, hojeando un atlas casi tan grande como él. Cada vez que íbamos a una biblioteca o a un Barnes & Noble, terminaba con un atlas en las manos. Se aprendió todos los países y sus capitales, montañas, ríos, población y banderas. Me parecía increíble cómo podía retener toda esa información. Cuando yo era estudiante de séptimo curso, tuve que hacer *chuletas* para aprobar mis exámenes de geografía. Era incapaz de recordar dónde estaban las cosas en el mapa o las capitales de cada país. No me interesaban.

Junto a este interés de Konji por los mapas surgió otro. Le fascinaban los edificios más altos del mundo. Le impresionaba tanto el edificio Burj Khalifa que yo soñaba con llevarlo a Dubái durante uno de nuestros viajes educativos por el mundo que quedaron en pausa.

Con el interés por los edificios más altos surgieron las aptitudes de arquitecto y diseñador de interiores en Konji. A menudo creaba edificios increíbles con bloques, LEGO y más tarde Minecraft. En Minecraft ha creado una variedad de casas preciosas con unos interiores de ensueño.

Dentro de su pasión por la geografía, Konji se interesó por algunos países en concreto, y eso hizo que su aprendizaje fuese aún más profundo. Aprendió mucho sobre Corea del Norte y Kim Jong-un. Sus estudios le enseñaron qué son los gobiernos y las dictaduras, y qué significa la libertad. Era un placer ver a un chico tan joven aprendiendo tanto gracias a su fascinación por los mapas mundiales.

Tengo un recuerdo muy bonito sobre mi pequeño amante de los mapas. En un viaje a Catalunya, en casa de mis padres, estábamos almorzando en la mesa del comedor. Konji estaba pelando y comiendo una mandarina cuando se dio cuenta de algo. ¡La cáscara tenía la forma de un continente! La colocó sobre la mesa y luego siguió pelando la fruta con cuidado, colocando los trozos de cáscara sobre la mesa. Cuando terminó, había creado el mapa del mundo entero con la piel de una mandarina. ¡Simplemente precioso!

Después de dejar atrás la hípica, Konji pidió jugar al fútbol. Fue muy claro, y me pidió apuntarse a una academia de fútbol de verdad en la que tomaran el fútbol en serio, porque su interés era ser jugador de fútbol profesional. Desgraciadamente, para entrar en la gran mayoría de academias de fútbol en Estados Unidos tienes que superar unas pruebas en mayo para empezar los entrenamientos en agosto. Estábamos en noviembre: demasiado tarde.

Un aspecto negativo de la vida sin escuela es que los unschoolers no tenemos un calendario fijo, mientras que la mayoría de la sociedad sí lo tiene, incluyendo el fútbol. La vida de la equitación por ejemplo también tuvo su agenda fija y la seguimos. Ahora, esta vida nueva vinculada al fútbol tenía un calendario nuevo al que debíamos adaptarnos.

Encontré una academia de fútbol que no requería superar pruebas e inscribí a Konji. Pero, por alguna razón, el entrenador no se puso en contacto conmigo durante mucho tiempo. Luego llegó el invierno y se acabó la temporada de fútbol. Afortunadamente, algunas academias ofrecían campamentos de invierno, lo cual permitió a Konji empezar a practicar este deporte. Al fin.

En realidad, siempre estaré agradecida al entrenador que jamás se puso en contacto conmigo cuando inscribí a Konji en su academia. Su silencio, junto con las ganas de Konji de empezar a jugar, me empujó a investigar más.

Desesperada por conseguir una oportunidad para que Konji jugara a fútbol, navegué por Internet en busca de opciones. A raíz de mi búsqueda, encontré los extraordinarios Clinics de fútbol de Atlanta United y su Escuela de Desarrollo Regional. El Atlanta United FC es un equipo de fútbol bastante nuevo. Creado en 2015, el club no empezó a jugar oficialmente hasta 2017, y están comprometidos con el desarrollo de jugadores de la región. Solo los talentos más excepcionales dentro del programa RDS son recomendados para unirse a su academia.

En este programa los jugadores de fútbol se forman mientras entrenan en otros equipos. También se exige pasar unas pruebas que por suerte se realizan cada temporada.

Ese invierno, llevé a Konji a las pruebas de acceso de invierno del RDS en el centro de Atlanta. A pesar de tener poca experiencia como jugador, las superó. Entró en el programa RDS y ya nunca lo abandonó.

Además del programa RDS, encontré en Internet el campamento de invierno del InterAtlanta Blues FC. A Konji le gustó mucho lo que vio en ese campamento, así que decidió hacer una prueba allí. Pasó las pruebas en mayo y se apuntó al equipo en agosto.

La pandemia canceló todos los entrenamientos de la temporada de primavera y como Konji deseaba convertirse en jugador de fútbol profesional pensé que no podía permitirse el lujo de perder el tiempo durante la temporada de verano. Después de una búsqueda intensa en Internet, encontré el campamento de verano perfecto para ayudar a Konji a ponerse al día en sus habilidades futbolísticas. La Academia del Barça en Arizona entrena a sus jugadores tres veces al día. Enviamos a Konji a la Casa Grande de Arizona, donde se convirtió en un niño muy afortunado, pasando cuatro maravillosas semanas de entrenamiento futbolístico estricto.

Por ahora, a sus catorce años, Konji entrena dos veces por semana con su club de fútbol y otro día con el RDS. Como esto no es suficiente para practicar, los días que no tiene entrenamientos se apunta a partidos de calle para adquirir más experiencia y entrena una vez a la semana en Toca. Aparte del fútbol, está practicando la lectura en catalán y las conversaciones en español. También está leyendo el clásico *El señor de las moscas*, de William Golding.

De hecho, Konji dejó de leer libros durante mucho tiempo y hace poco me pidió que volviera a buscarle libros de la biblioteca. Lee las revistas que recibimos mensualmente por correo, *Muse* y *Upfront* de *The New York Times*. Esta lectura le ayuda a estar al día de la actualidad, aunque ya está al tanto de ella a través de YouTube. También ha pasado mucho tiempo viendo películas y programas en Netflix. Ahora está viendo documentales, y la serie *Seaspiracy* de Netflix le ha impactado mucho.

Konji está empezando a hacer lo mismo que hizo su hermano mayor. Comparte sus conocimientos conmigo, me cuenta cuando está enfadado por alguna situación social y me explica toda la mecánica de ciertas organizaciones. Habla y debate durante horas interminables sobre todo lo que lee, ve, escucha y percibe. Así es como sé que está aprendiendo.

Konji siempre ha sabido que no quiere un trabajo de nueve a cinco donde te pasas todo el día frente al ordenador en un escritorio. Voy a hacer todo lo posible para ayudarlo a alcanzar sus objetivos.

Brian y yo estamos de acuerdo en que, si nuestros hijos no quieren ir a la universidad, no les presionaremos para que lo hagan. Aunque ambos somos licenciados universitarios, Brian y yo estamos increíblemente contentos de que nuestros hijos tengan claro quiénes son y qué quieren en la vida. Si su pasión no les lleva a la universidad, ¡perfecto! Si su pasión les lleva a la universidad, haremos todo lo posible para ayudarles a entrar en ella.

Mientras escribía este capítulo, recibí un correo electrónico de Atlanta United RDS. Dos entrenadores han recomendado a Konji para hacer la prueba de entrada a la academia. Esta recomendación no significa que Konji vaya a entrar. Pero sí significa que Konji está un poquitín más cerca de alcanzar su sueño.

Mientras tanto, me estoy informando sobre la vida en el mundo del fútbol para ayudarle a navegar en ella.

El verdadero aprendizaje —el que es permanente y útil, el que genera una conducta inteligente y un aprendizaje más profundo— solo puede surgir de la experiencia, el interés y las inquietudes del que aprende.

John Holt

LA *AERIALISTA*

Mi hija se llama Afrika, con *k*. Cuando me enamoré por primera vez del nombre África, no tenía ni idea de que me causaría tantos dolores de cabeza en el futuro.

En mi clase de ballet, a los nueve años, conocí a una niña en el vestuario y me dijo que se llamaba África. ¡No me lo podía creer! Una niña con nombre de continente. Pensé que era el nombre más chulo del mundo y me enamoré de él al instante.

Desde entonces, supe que si alguna vez tenía una hija, se llamaría África. ¡Qué poco conocía entonces el racismo que existe en Estados Unidos!

Tan pronto el test de embarazo de mi segundo bebé salió positivo, di la noticia a Brian.

«Si es una niña», le dije, «quiero que se llame África. Tienes nueve meses para acostumbrarte». Así de tajante fui.

Ya sé que puedo parecer bastante antipática, pero todo tiene una explicación. Mi marido y yo tuvimos muchas discusiones durante mi primer embarazo. Dos de nuestras principales guerras tenían que ver con la circuncisión (aquí en EE. UU. se circuncida a todos los varones incluso sin ser necesario) y el nombre de nuestro primer hijo. Brian eligió el nombre de Jaume, y a mí no me gustaba nada. Incluso había tenido un novio que se llamaba Jaume, pero mi marido no se sentía amenazado en absoluto por mi anterior pareja.

El padre de Brian se llamaba James. Falleció un mes de mayo, cuando Brian apenas se estaba convirtiendo en adulto. Como mi hijo nació en mayo (irónicamente el Día de la Madre), a Brian le gustó la idea de llamarlo James, pero en mi lengua catalana, Jaume. Después de perder la batalla de nombrar a mi hijo, estaba decidida a nombrar a mi hija, y tenía el nombre perfecto. Le daría el nombre que me ha encantado desde que era una niña.

Anunciar que iba a llamar a mi hija África provocó un gran alboroto entre mis conocidos norteamericanos. En España es un nombre mucho más usual. Así que decidí buscar un libro americano de nombres de bebés. Quería comprobar si mi idea era o no una locura.

África no solo estaba en el libro de nombres, sino que también aparecían diferentes opciones de escritura. Imagínate mi sorpresa cuando me enteré de que en Estados Unidos uno puede escribir los nombres como quiera. Tenía la libertad de cambiar la *c* por la *k*. Esa posibilidad fue muy cautivadora. Dejé de lado la ortografía «correcta» y llamé a mi hija Afrika, con *k*.

Me encanta su nombre. Y una vez que Brian leyó en el libro de nombres que Afrika es de origen celta, se unió a mi club.

En Estados Unidos hay niñas que se llaman Virginia, Georgia, Carolina, Dakota y Brooklyn, sin causar ningún escándalo. Hoy en día, se oyen también los nombres de Irlanda, Asia, América, Londres y París, los cuales se encuentran en el mapa. A los negros les encanta el nombre de mi hija y les fascina que se escriba con *k*; a los blancos les choca. No se escandalizan porque el nombre de mi hija sea el de un continente. Se escandalizan por el continente que representa.

Afrika siempre ha sido una persona muy lista y curiosa. Una noche, cuando solo tenía tres añitos, mientras la estaba duchando, levantó la cabeza y me miró con ojos preguntones: «¿Por qué podemos atravesar el agua?».

Me mostró la cascada del grifo mientras su mano atravesaba el agua. No quería saber que hay objetos sólidos y líquidos. Quería saber por qué los objetos sólidos —los seres humanos— pueden atravesar los líquidos.

No tenía ni idea de cómo explicar a una niña de tres años los átomos y las moléculas. Respondí afirmando que había una explicación, pero que era tan complicada que se la enseñaría después de la ducha.

Lo prometido es deuda: una vez en pijama, hice todo lo posible para explicar las propiedades del agua mostrándole vídeos de ciencia para niños. ¡Gracias a Dios que hay vídeos de ciencia para todas las edades en Internet!

Esa hija mía no solo formulaba preguntas inteligentes, sino que también mostraba altas capacidades de cálculo. Durante la cena solía plantear problemas mentales. Una vez dije: «Tenía siete patatas en mi plato y ahora hay cuatro. ¿Cuántas me he comido?». Jaume, que entonces era un niño de cinco años cursando P5, ni siquiera tenía tiempo para pensar la respuesta. Afrika, con solo tres años, rápida y alegremente respondió: «Te has comido tres patatas». Con tan corta edad, era capaz de hacer cálculos fácilmente sin que nadie le enseñara. Era impresionante observarlo.

En el jardín de infancia (P5) la colocaron en el grupo de lectura de nivel más bajo al inicio del año escolar. En casa, practicamos la lectura continuamente. Todas las noches repasábamos las diez palabras básicas que el profesor nos daba cada semana como deberes. Como resultado, Afrika pasó volando por cada nivel de los grupos de lectura hasta llegar al más alto.

A diferencia de Jaume, Afrika no pasó todo el año de jardín de infancia leyendo libros de nivel fácil. Pasó de leer frases cortas como «el gato es malo» y «la casa es azul», a leer un libro de capítulos de Junie B. Jones en una noche. Y leyó esos libros noche tras noche. Se leyó todos los veintisiete libros maravillosos de Junie B. Jones, de Barbara Park, en un abrir y cerrar de ojos. Desde entonces ha sido una lectora ávida.

Durante el curso de jardín de infancia (P5), examinaron a Afrika para el programa de alumnos dotados. También hicieron la prueba a Jaume cuando estaba cursando segundo, pero no calificó como dotado. Ya sabía que era un niño normal y corriente, dotado en otras áreas, por supuesto, pero no dotado académicamente. Durante aquel año de segundo curso me enteré de que cuando Jaume estaba en clase, el profesor no siempre podía dar una lección y avanzar. Cada vez que los alumnos de altas capacidades estaban en el programa de dotados o los niños con dificultades para el aprendizaje estaban en el programa de educación especial, la clase general recibía ejercicios para mantener a los alumnos ocupados. Fue frustrante ver cómo los niños dotados avanzaban mientras que los que no lo eran hacían tareas repetitivas.

Cuando Afrika casi calificó para ser considerada como dotada, el departamento encargado del programa de alumnos dotados pidió permiso para volver a examinarla. La segunda vez sí cumplió los requisitos. Como resultado, se la etiquetó como niña de altas capacidades. La situación me resultó curiosa. Aunque Afrika es muy inteligente y devora los libros de forma excepcional, no es una niña verdaderamente superdotada. Creo que el sistema escolar ha cambiado el significado de *superdotado*.

Para informarme mejor, me presenté a las maestras de educación para altas capacidades y les pregunté sobre su programa. De maestra a maestra, hablamos con libertad y sinceridad. La conversación fue reveladora.

Durante nuestra conversación, me enteré de que, cuando un niño dotado de otro estado se traslada a Georgia, ese niño se inscribe automáticamente en el programa de altas capacidades de Georgia. En cambio, cuando los alumnos de altas capacidades de Georgia se trasladan a otro estado, no se les considera dotados automáticamente y deben volver a superar la prueba en su nuevo estado (el nivel educativo de Georgia es muy bajo). Permíteme mencionar también que los fondos públicos que reciben las escuelas dependen del número de estudiantes inscritos en el programa especial o de dotados. Y de ahí la necesidad de volver a examinar a mi hija.

Alrededor de los cuatro años, Afrika empezó a interesarse por el origen de su comida. Cada noche, cuando cenábamos juntos, le picaba la curiosidad y tenía mucho interés en obtener información. Fue maravilloso buscar en Google respuestas e imágenes sobre el origen del brócoli y otros alimentos. ¡Su mente estaba trabajando! Fue un placer alimentar su curiosidad.

Pero entonces me hizo una pregunta incómoda. «¿De dónde viene el bistec?». Me entró el pánico. Ya sabía a dónde iba a parar la pregunta. No quería que reaccionara del mismo modo que hice yo cuando era pequeña, cuando dejé de comer pescado. Quería que siguiera comiendo carne. Para convencerla de que lo hiciera, tristemente mentí. Por favor, no me juzgues. Ahora soy una persona completamente diferente. Pero, en aquel momento, eso fue lo que hice. Mentí.

Los primeros años que Afrika intentó ser vegetariana, me comporté como un anticuado católico que no acepta a su hijo homosexual. Me costó mucho aceptarlo. Tuve que educarme para estar en paz con su decisión de no comer carne a una edad tan temprana.

A la larga, también convirtió a Konji. ¿No querías caldo? ¡Pues toma dos tazas! Pero, al recordar la tristeza que me producía que pescaran a mis queridos nadadores y mi tenacidad en no comerlos, supe que había perdido la batalla con mi hija en cuanto a comer carne. Una mamá *unschooler* habría aceptado las opciones dietéticas de sus hijos sin problemas, pero yo no era una *unschooler* en aquel entonces. Así que me costó un buen rato.

Una vez que saqué a Afrika del colegio a los siete años y ya llevábamos un tiempo educando en casa, la niña empezó a mencionar su deseo de visitar Nueva York.

Después de vender la casa, me imagine días llenos de aprendizaje planificando nuestros viajes por el mundo. Supuse que los niños participarían en un proyecto, aprendiendo sobre un estado o un país. Iríamos a los lugares sobre los que los niños estuvieran aprendiendo, y seríamos *worldschoolers*. Pero Afrika se enamoró de la vida de los caballos y la hípica, poniendo en pausa los viajes.

Además de montar a caballo, Afrika eligió aprender a tocar el violín y la flauta travesera. Le compramos un violín y una flauta en la tienda del vecindario Earthshaking Music, donde sus empleados, tan amables y muy bien informados, me ayudaron en numerosas ocasiones. Yo no tenía ni idea del mundo del violín y la flauta travesera, y ellos me ayudaron a orientarme. Mi único conocimiento de la música proviene de las clases que recibí en la escuela primaria. En aquella época, aprendimos la música clásica de Mozart, Bach y Vivaldi. Al igual que otros alumnos, también aprendimos a leer y escribir notas musicales y a tocar algunas canciones con la flauta dulce.

Una vez que Afrika tuvo la flauta y el violín en sus manos, se dio cuenta de que ninguno de los dos era fácil. Previamente había aprendido a tocar varias canciones clásicas con el piano sin ninguna ayuda. Incluso había compuesto algunas melodías preciosas. Pero la flauta y el violín le resultaban más difíciles que el piano.

Tuvimos la gran suerte de heredar un piano de la hermana de Brian, Karen. Era una reliquia familiar y ella quería legarla a otro miembro de la familia. Afrika y Konji siempre lo tocaban cuando iban a casa de la tía Karen, y, ya con el piano en casa, aprendieron de forma autodidacta a tocar canciones. Pero con los dos instrumentos nuevos, Afrika se dio cuenta de que no podía aprender sola. Necesitaba un profesor especializado.

Para ayudarla a empezar, contratamos a dos maestros distintos que venían a casa una vez a la semana. Pronto, las habilidades musicales de Afrika se dispararon y demostró su destreza tanto con el violín como con la flauta. Sus tutores estaban impresionados y decían que, con solo diez años, Afrika tocaba al mismo nivel que sus alumnos de Bachillerato.

Los años pasaron y Afrika, de repente, dejó el violín. Mencionó que se sentía frustrada al tocarlo. Mientras seguía la partitura como sabía hacerlo, su cabeza y su corazón querían tocar notas diferentes. Quería crear melodías diferentes.

Con una mente tan creativa, la animé a que se lo dijera a su maestro y a que simplemente se divirtiera con el violín. A veces hacían dúos y se lo pasaban superbién. Pero mis palabras no sirvieron de nada. Se cerró por completo y dejó el violín para siempre. Siguió estudiando flauta con su maestra particular, pero eso también llegó a su fin. Esta vez, la maestra tuvo que dimitir por motivos personales. Desde entonces, no he vuelto a escuchar a Afrika tocar ninguno de esos instrumentos.

Durante los años de su educación primaria y secundaria, Afrika no hizo trabajos escolares, ni fichas educativas, ni yo hacía de maestra en casa. Recibió algunas clases con Marilyn, en las que aprendió geografía y las aportaciones de algunos de los naturalistas más respetados. También hizo algunos cursos en la Atlanta Homeschool Coop de ciencias naturales, asistió a una clase de ciencias forenses, se inscribió en clases de dibujo y participó en algunos talleres en la biblioteca. Todo esto lo hizo por propia voluntad e interés.

Además, durante mucho tiempo, ella y una amiga asistieron a clases particulares de cocina con un chef. Pero, básicamente, Afrika no hizo ningún estudio de tipo académico. Sin embargo, leyó una cantidad gigantesca de libros. La bibliotecaria se puso muy contenta, porque subimos las cifras en las estadísticas de la biblioteca. Esta lectora voraz leyó todos los libros de animales que pudo encontrar en la biblioteca, lo memorizó todo sobre esos animales y nos pidió que le hiciéramos una prueba, como un examen oral.

Leyó series de libros tras series de libros, hasta que la serie Los Gatos Guerreros de Erin Hunter llegó a su vida. En cuanto descubrió esos libros, los devoró todos. De hecho, le gustaron tanto que se convirtió en una gran admiradora y se unió al clan de Los Guerreros, una página de Internet donde admiradores de todo el mundo escriben y comparten sus ideas con los demás.

Dos libros que encontré al azar caminando por los pasillos de la biblioteca fueron realmente beneficiosos para ella, no como herramientas de aprendizaje sino como herramientas terapéuticas para ayudarla a sentirse comprendida. Uno de los libros fue *OCDaniel*, de Wesley King, una historia sobre un niño con trastorno obsesivo-compulsivo. Me enteré ya de adulta de que tengo un TOC. De niña, pensaba que estaba loca, así que mantuve mis obsesiones ocultas. Como no son extremas, nadie las notó.

Pero Afrika no pudo ocultar las suyas; las reconocí inmediatamente. La primera vez que la vi hacer algo que yo hacía a su edad, me di cuenta de que había heredado mi TOC. Enseguida le expliqué lo que le pasaba. Le dije el nombre del trastorno y que no es la única que lo tiene. Hay muchos como nosotras por ahí.

A lo largo de los años, el TOC de Afrika se ha manifestado de forma muy diferente al mío. Así que, aunque yo sabía a qué me enfrentaba y era capaz de ayudarla a manejar sus ideas intrusivas, malinterpreté algunas situaciones. Por ejemplo, hubo un periodo de tiempo en el que no comía o solo comía una cantidad muy pequeña de alimentos. Me volví loca buscando en Internet y recorriendo la biblioteca en busca de libros sobre trastornos alimentarios para que Afrika los leyera. He conocido muchas historias sobre anorexia y bulimia, y estaba dispuesta a cortar el problema de raíz.

Afortunadamente, una conocida mía me contó que su hijo estaba en terapia para luchar contra el TOC. Una de sus obsesiones era el miedo a atragantarse al comer. Entonces me di cuenta de que Afrika no era anoréxica. Una vez más, su problema estaba relacionado con el TOC. Esta madre me dio algunos consejos que aprendió del terapeuta de su hijo.

Luego leí más sobre el tema en Internet. A medida que Afrika y yo nos íbamos informando, encontramos soluciones a estos pensamientos perturbadores e indeseados.

Leer *OCDaniel* la ayudó mucho, no a resolver el problema, sino a sentirse comprendida. A mí me hubiera gustado leer un libro sobre una persona tan loca como yo. Ahora Wesley King ha publicado un libro nuevo titulado *Hello (from here)*, sobre dos adolescentes que se conocen durante la pandemia y el confinamiento; trata el tema de los ataques de ansiedad. Precioso.

El otro libro que fue beneficioso para Afrika fue *Un espacio en forma de mango*, de Wendy Mass. Esta historia trata de una niña con sinestesia, es decir, la mezcla de percepciones por la que una persona puede ver sonidos, oler colores o saborear formas. Afrika también es sinestésica. Ve las letras negras de los libros en colores. Los nombres de las personas se asocian a un color en su mente, y los números tienen color y personalidad. Mozart, Van Gogh y Marilyn Monroe tenían sinestesia, Lady Gaga y Billie Eilish también la tienen.

Siempre me acordaré de cuando me di cuenta de su condición. Ese día en particular, conducía mi coche con mi hija de tres años atada en su silla y su hermano, dos años mayor, a su lado. Sin venir a cuento, me preguntó como si nada: «¿De qué color son tus letras?».

No tenía ni idea de lo que me estaba diciendo.

«La letra A es roja y la C es amarilla», me explicó. «¿Cuál es la tuya?».

Justo entonces, Jaume tomó la palabra. «Mis números tienen colores», dijo, «y el diez es morado».

¡Sorpresa, sorpresa! Él también es sinestésico.

Durante el otoño del 2019, después de dejar la vida ecuestre que Afrika disfrutó durante cuatro años, pidió apuntarse y participar en más clases académicas. Anteriormente había asistido a algunas clases a través de la página virtual de la Biblioteca del Condado de Fulton. Esas clases son perfectas para las personas que educan en casa o las que están muy ocupadas, ya que no tienen un horario y permiten que cada uno vaya a su propio ritmo. Pero Afrika siempre pensó que esas clases eran demasiado fáciles. Ella quería estar presente en una clase, y tener un reto más desafiante.

Era noviembre. Como siempre, todas las clases disponibles habían empezado en agosto. Pero yo quería satisfacer sus inquietudes, así que le supliqué a mi amiga Marilyn. Junto con su marido, mi amiga estaba dando una clase de ciencias de Secundaria en su casa. ¿Qué mejor lugar para estimular a Afrika que con Marilyn y Gene? Y una vez llegó la primavera, Afrika volvió a inscribirse en las clases de la Atlanta Homeschool Cooperative.

En noviembre, antes de que Afrika se reincorporara a la cooperativa, el Cirque du Soleil vino a nuestra ciudad. Como siempre, Brian compró entradas para todos. Cada vez que están en Atlanta vamos a verlos. Brian y yo somos grandes fans del Cirque du Soleil. Nuestra afición por este circo extraordinario, artístico y elegante es una de las pocas cosas que tenemos en común. Pero Afrika elevó el significado de fan a otro nivel.

Siempre le ha gustado el Cirque du Soleil. Desde la primera vez que los vio, cuando solo tenía tres años, quedó fascinada. El espectáculo Volta la cautivó por completo. Quedó tan enamorada de esta representación que fue a verla nueve veces. Con su propio dinero y con la ayuda de familiares y regalos de Navidad, esta jovencita de catorce años pudo pagarse ocho entradas más.

Así que, cuando Afrika pidió clases de acrobacia aérea circense, no nos sorprendió. Al contrario, tenía todo el sentido del mundo, y yo lo vi venir. De hecho, le había ofrecido clases de vez en cuando, pero ella siempre las rechazaba.

Desde muy pequeña, Afrika era una escaladora nata. Trepaba a todo árbol que se le ponía por delante, con sus propias manos o con la ayuda de cuerdas. Trepaba por paredes de roca, por postes, por cualquier cosa.

Como le gustaba tanto escalar, le encantaba ir a Panola Mountain, donde gracias a su programa de escalada profesional de árboles, se convirtió en una profesional de aquellas cuerdas. Y dominó también la escalada de roca en Escalade, un gimnasio fantástico y mágico para escaladores.

En nuestra casa nueva, hice lo que pude para satisfacer las necesidades trepadoras de Afrika. Para crear una copia de las telas aéreas del Cirque du Soleil, até a un árbol del patio de enfrente un pañuelo portabebés que tenía por ahí. Afrika realizó inmediatamente unos movimientos artísticos aéreos impresionantes. Esto me llevó a comprarle las telas aéreas que Amazon vende para yoga. Siguió sorprendiéndonos con su creatividad acrobática, así que le compré las telas aéreas de artes acrobáticas que se utilizan en el circo.

Durante dos años, Afrika se entrenó sola con las telas aéreas acrobáticas en el jardín de enfrente. Día tras día, se colgaba de nuestro árbol enorme y fuerte, girando y dando vueltas, volando con las telas que mi padre, muy mañoso, me ayudó a instalar de forma muy segura. Incluso después de trabajar todo el día en el centro ecuestre, Afrika seguía teniendo energía para subirse al árbol y actuar con esas telas aéreas de color turquesa.

Una vez que Afrika dejó de montar a caballo, su devoción por la gimnasia aérea aumentó. Pronto se apuntó a clases en Challenge Aerial, en el vecindario de Grant Park, donde entrenó con las telas aéreas, el trapecio y también con el aro. Acudiendo a Challenge Aerial tres veces a la semana, pronto progresó mucho. Las maestras se quedaron perplejas. Estaban acostumbradas a que los nuevos alumnos vinieran de *ballet* o gimnasia, pero Afrika venía del mundo ecuestre. Nunca había recibido clases de danza o gimnasia. Sin embargo, se movía con gran naturalidad.

Aquellas horas de trabajo con los caballos, cargando paja y cubos de agua, dieron su fruto. Afrika adquirió una gran fuerza en la parte superior de su cuerpo. Y las horas que pasó en la piscina del establo jugando con sus amigas, haciendo coreografías de natación sincronizada y las infinitas competiciones de verticales —durante las cuales yo le gritaba: «¡Pies de punta, piernas rectas, como una bailarina!»— modelaron su bonita forma.

En marzo de 2020, la pandemia de COVID-19 paralizó el mundo. Afrika aprovechó ese tiempo en casa juiciosamente y perfeccionó sus habilidades. Durante esa época, Brian empezó a trabajar desde casa, Jaume siguió jugando a videojuegos con sus amigos en la red, y Konji fue alternando los ratos de ocio en la pantalla con las prácticas de fútbol en el patio trasero. Yo estaba feliz de disfrutar un paréntesis.

En vez de conducir a los niños a todas partes —dejar a Afrika en las clases de acrobacia, acelerar a tope para recoger a Konji del entrenamiento de fútbol y llegar tarde a recoger a Jaume de su trabajo—, disfruté de días tranquilos, leyendo en mi cómodo sillón del patio trasero con mi prenda favorita: el traje de baño.

Durante los cinco meses de confinamiento, Afrika recibió varias clases de Harvard gratuitamente y a través de la red. Además, se preparó un horario para mantener sus habilidades atléticas en forma. Siempre tratando de mejorar, entrenó su flexibilidad y practicó con las telas en el patio de enfrente todos los días. Como llovía muy a menudo, Afrika se hartó de sacar y colocar sus telas de circo en el exterior. Para protegerlas, empezó a practicar movimientos aéreos con la cuerda que cuelga del árbol y que utilizamos para subir y bajar las telas. ¡Qué extraordinaria era en esa cuerda de ferretería! En aquel entonces, aún no sabía que la cuerda se convertiría en su aparato aéreo favorito.

Cuando llegó junio, algunos lugares que habían estado confinados empezaron a abrir. La Academia del Barça en Arizona abrió, y Konji fue a entrenarse durante la pandemia. Con nuestras mascarillas puestas, volé con Konji a Arizona, y ambos comprobamos lo bien que la sociedad afrontaba la apertura de los negocios con todas las medidas de prevención.

Una vez en casa, me dio pena Afrika. Mientras su hermano pequeño estaba libre practicando fútbol en Arizona, Challenge Aerial seguía cerrado. Busqué intensamente por Google centros de acrobacia de circo aéreo que estuvieran abiertos. Finalmente, encontré Akrosphere en Alpharetta. Akrosphere volvió a operar en junio ofreciendo clases de verano.

En cuanto le enseñé a Afrika la página web de Akrosphere, se enamoró de la idea de entrenar con cuerda y hacer dúo, dos clases que Challenge Aerial no ofrecía. Y lo que se suponía que iba a ser solo una experiencia de verano hasta que Challenge Aerial abriera su estudio, se convirtió en la nueva vida de Afrika.

Hoy en día, está inscrita en Akrosphere todo el año. Todo se hace de forma segura, llevando mascarillas y tomando todas las precauciones para hacer frente a la pandemia durante las clases de cuerda, dúo y trapecio. ¡Y como el entrenador observó su talento, la invitó a unirse a la compañía de artes Akme!

Para sus quince años, le regalamos una *corde lisse*, una cuerda aérea de circo mucho más profesional que la de la ferretería con la que empezó a aprender. Y por Navidad le regalamos el aro aéreo. Afrika tiene mucho talento y trabaja muy duro cada día para mejorar. No me cabe duda de que cumplirá su sueño de entrar en un circo.

Como es una persona polifacética, Afrika ha contemplado la idea de ir a la universidad para estudiar medicina. Le interesan especialmente las enfermedades de la piel y la podología. Pero también quiere ir a la Escuela Nacional de Circo de Montreal. Por ahora, estamos trabajando para que tome ambos caminos.

La prioridad por el momento es el mundo del circo, ya que su cuerpo es joven, fuerte y muy atlético. Al mismo tiempo, está estudiando poco a poco el Bachillerato. Se divierte aprendiendo asignaturas académicas, y las va a necesitar si quiere dedicarse a la medicina.

Antes de la pandemia, teníamos previsto inscribirla en el programa de doble titulación de Georgia. Este programa permite a los estudiantes de Secundaria recibir clases universitarias y obtener créditos dobles. En otras palabras, los créditos te ayudan a graduarte en la escuela secundaria mientras obtienes créditos universitarios al mismo tiempo. Este programa gratuito es una manera fantástica para que los jóvenes que se educan en casa puedan acceder fácilmente a la universidad.

Pero el COVID-19 nos cambió la vida. En lugar de la doble titulación en la universidad del barrio, Afrika se matriculó en un instituto virtual. Hay un montón de clases gratuitas en Internet. Khan Academy y Coursera son sitios web maravillosos para aprender. Pero nosotros buscábamos un colegio secundario homologado que le otorgara a Afrika un diploma y un expediente académico.

Cuando Afrika se matriculó en el instituto en línea Whitmore Academy, le encantaron sus clases y sus deberes. Sacaba sobresaliente tras sobresaliente. Yo bromeaba con ella porque nunca he sido una estudiante sobresaliente y nunca me ha importado obtener esas calificaciones. De hecho, el único sobresaliente que saqué en el colegio fue en inglés. La única razón por la que lo hice fue que mis padres me habían apuntado a clases de inglés extraescolares, así que iba avanzada.

Pero mis notas en todas las demás asignaturas eran siempre de bien o suficiente. A pesar de que Brian y yo nunca le exigimos a Afrika que sacara sobresalientes, ella era muy estricta consigo misma. Se exigía sacar solo sobresalientes. Para ella era importante obtener las máximas calificaciones.

Como la escuela mantiene a los padres informados del progreso de sus alumnos, me di cuenta después de un tiempo de que Afrika no enviaba los deberes. La escuela funciona a tu propio ritmo y no hay ningún tipo de horario, por lo tanto tampoco hay ninguna fecha de entrega. Al no tener que entregar los deberes en un día concreto, no fue presionada para entregar los trabajos terminados.

En otras clases, Afrika siempre entregaba los deberes pocos minutos antes de la hora de entrega. Por alguna razón, le causaba ansiedad enviar los deberes y esperaba hasta el último minuto (23:59 h) para enviar el *e-mail* a la maestra. No obstante, le gustaba mucho hacer exámenes y obtener la nota más alta, especialmente en las clases gratuitas en la web de Harvard, en las que sacó sobresalientes.

Le dije a Afrika que también estaba bien recibir notas inferiores al sobresaliente. Le expliqué que los errores son buenos, te ayudan a aprender. Además, a los profesores les gusta explicar las cosas a sus alumnos y quieren ayudar a sus estudiantes a comprender los contenidos. A pesar de mi charla, Afrika no cedió. Tenía miedo a equivocarse y una intensa necesidad de que sus deberes fueran perfectos.

Obviamente, mi hija es una perfeccionista. El perfeccionismo es una gran herramienta para una artista acrobática. Cuando sujeta a otro acróbata en el aire, más vale que todo sea perfecto o alguien saldrá herido. Pero este perfeccionismo es una maldición en otras áreas de la vida.

Whitmore es una escuela a ritmo propio sin fechas de entrega. A Afrika le daba pánico no obtener un sobresaliente en sus notas. Este miedo la bloqueaba hasta el punto de no enviar nunca sus deberes. Hablando con la directora pedagógica del colegio, atenta y maravillosa, me enteré de que Afrika tiene ansiedad de perfeccionismo, una condición a la que son propensas las personas con TOC.

Con el fin de encontrar una solución que se ajustara a la filosofía de la escuela, llegamos a un acuerdo. A partir de ese día, Afrika solo sería oyente el resto del curso escolar. Para la directora pedagógica y para mí, era importante que Afrika no perdiera su amor por el aprendizaje. Ambas estábamos de acuerdo en que es más importante querer aprender que obtener calificaciones y créditos.

Fue triste ver el efecto de la ansiedad en Afrika. A ella le encanta aprender. Sin embargo, la ansiedad se lo impedía.

Cuando Afrika se enteró de que la escuela le había dado libertad para aprender sin completar los trabajos, se le iluminó la cara. Ahora es una esponja, con libertad para absorber todo el material académico posible en el sitio web de la escuela. Esta no examina a los alumnos, sino que pone a su disposición un flujo constante de proyectos y deberes. Como Afrika no hace los proyectos y no hay exámenes, no obtendrá créditos escolares. Pero yo ya tengo la experiencia de hacer un certificado de notas de instituto. Lo hice para Jaume, y sé qué hay que hacer para el de Afrika.

Mi hija me pidió que me encargara de su educación una vez se termine el plazo de oyente de las clases de Whitmore Academy. Voy a ayudarla a encontrar clases en Coursera y Khan Academy, así como en nuestra biblioteca pública. Todos estos cursos maravillosos son gratuitos. Como a Afrika le van muy bien las clases universitarias en línea, también seguiré buscando clases gratuitas en edX.org, donde universidades como Harvard, Berkeley, Georgetown y Columbia ofrecen cursos. Afrika triunfa en las clases universitarias, así que iremos a por ello.

La enseñanza no hace el aprendizaje... La educación organizada opera bajo la suposición de que los niños aprenden solo cuando les enseñamos, lo que les enseñamos y porque les enseñamos. Esto no es cierto. Es casi 100 % falso. Los aprendices hacen el aprendizaje.

John Holt

EL ESCRITOR

Mi primer hijo, el bebé que llegó sin haberlo planeado y que tuvo la suerte de quedarse conmigo durante su primer año de vida mientras yo trabajaba de canguro. El que tuvo la experiencia de ir al jardín de infancia, de asistir a la escuela hasta 4.° de Primaria, hizo *homeschool*, y más tarde *unschool*. Ahora, con dieciocho años, habla tres idiomas y trabaja en una pequeña cafetería local y ecológica mientras escribe un libro en sus horas libres.

Jaume era un niño de sobresalientes en el colegio. Para mí tenía sentido que sacara sobresalientes en lengua inglesa, lectura, escritura, español, ciencias sociales e historia. Pero ¿por qué mi hijo sacaba sobresalientes en matemáticas? ¡No era especialmente bueno en esta asignatura!

Pues resulta que uno puede ser un alumno excelente en matemáticas si los exámenes se centran en un área específica. Por ejemplo, un examen solo de multiplicaciones con dos problemas para resolver al final en los que necesitas la multiplicación. Fácil. Luego, el siguiente examen solo de divisiones. Hay un montón de divisiones para resolver en una página y luego unos cuantos problemas al final que requieren división para solucionarlos. Solo divisiones.

¡Claro que el muchacho era un estudiante excelente! Como un robot, podía dividir y multiplicar cuando se le pedía. Pero cuando se enfrentaba a un problema matemático de la vida real, Jaume se ponía en estado de pánico. Y entonces empezaba el juego de las adivinanzas.

«¿Es una multiplicación?». «¿Hay que dividir?», preguntaba mi hijo cuando cursaba 4.° de Primaria.

No era capaz de resolver un problema sencillo que requería

solamente sumar. Se estresaba cuando se le hacían preguntas sobre las horas, el dinero o cualquier aptitud para la vida que se enseñaba en la asignatura de matemáticas en la escuela. Mi estudiante de sobresaliente no podía encontrar respuestas a problemas sencillos.

Llegamos a la piscina a las 12.00 del mediodía, y nos vamos ahora, a las 16.30. ¿Cuántas horas hemos estado en esta piscina?

No lo sabía.

Qué tristeza que la escuela considerara a mi hijo como un estudiante de matemáticas excelente cuando una vez fuera no era capaz de resolver matemáticamente una situación de la vida diaria. En cuanto estuvo fuera del sistema escolar y empecé a educarlo en casa, le dije que se olvidara de las matemáticas que había aprendido en la escuela. De nada servía que supiera la mecánica de la suma, la resta, la multiplicación y la división si no sabía cuándo aplicarlas. Dejé de hacerle preguntas relacionadas con las matemáticas y le sugerí que diera un descanso a esta asignatura.

Las matemáticas son mi asignatura favorita. Sé que mucha gente se siente intimidada o asustada por las *mates*, y que muchos las desprecian, pero yo no iba a permitir que mis hijos las odiaran. Me gustan tanto las *mates* que una vez mis hijos me regalaron un problema matemático para que lo resolviera el día de mi cumpleaños. Para evitar que Jaume odiara esta asignatura, le expliqué que las *mates* son difíciles para mucha gente. Simplemente necesitaba un descanso de ellas, olvidarse completamente.

Imagínate cuál fue mi sorpresa aquel verano, seis meses después de haberle dicho que se olvidara de las matemáticas. Estábamos en la piscina pública; yo disfrutaba mirando a mis hijos nadar y jugar en el agua. De repente, Jaume se acercó y me dijo: «Llevamos tres horas aquí». Mi corazón de maestra brincó lleno de esperanza, y mi corazón de mamá se hinchó de orgullo al darme cuenta de que mi hijito podía hacer cálculos.

A Jaume le interesan la historia y las ciencias sociales, básicamente las asignaturas que a mí no se me daban bien ni me interesaban. Cuando a tu hijo no le interesan las asignaturas que a ti te encantan y prefiere las que a ti no te interesan, la educación libre se complica y es todo un reto.

Me tocó aprender sobre temas que no me interesaban. No tuve más remedio, porque, afortunadamente (y agotadoramente), tus hijos te van contando todo lo que saben sobre el tema que les apasiona. Cuando su pasión despierta, no hay necesidad de ponerles un examen. Créeme. Te transmitirán todos sus conocimientos.

Lo primero que hice para satisfacer el hambre que tenía Jaume para aprender historia fue pedir consejo a la gente de la cooperativa. Tuve la suerte de que ese año se puso de moda leer a los niños *La historia del mundo*, de Susan Wise Bauer. Muchas madres estaban leyendo o ya habían leído ese libro a sus hijos. Así que una amiga me lo prestó y luego se lo di a Jaume.

«Oye», le dije, «muchas madres están leyendo este libro a sus hijos. Dicen que es un buen libro para aprender historia. Yo no quiero leerlo. ¿Crees que puedes leerlo tú solo?».

Siempre he sido sincera con mis hijos. Una cosa que aprendí de una terapeuta infantil es que es mejor ser tú misma que ser una madre falsa. Si le hubiera leído *La historia del mundo* a Jaume, habría notado mi aburrimiento. Al proporcionarle el libro, se sintió atendido. Y lo leyó. De hecho, le gustó tanto que se leyó los cuatro de la serie.

La cooperativa también ofreció clases de historia, a las que Jaume asistió con entusiasmo. Mi marido, amante de la historia, mantuvo muchas conversaciones con Jaume durante las cenas.

La historia de mi país es bastante larga comparada con la de los Estados Unidos. No solo es larga, sino que también es espesa, complicada y llena de sagas. En cuanto a los libros infantiles de historia de Catalunya que tengo, solo cubren una breve parte de esa historia. Obviamente, no fueron suficientes para mi joven historiador.

Tuve la suerte de conocer a un compatriota inmigrante catalán, amante de la historia, sin trabajo aquí en Atlanta. Su mujer vino a Estados Unidos por un trabajo y él la acompañó. Como consecuencia, estaba bastante aburrido sin trabajar. Le propuse enseñar a Jaume la historia de Catalunya y aceptó la oferta. Lo que se suponía que iba a ser un semestre corto (porque era lo único que podía pagar) acabó durando más de un año. Tristemente, estábamos en la ruina y con problemas para llegar a final de mes. Pero valió la pena poder dar a mi hijo un aprendizaje profundo de la historia de mi tierra. (¡Chisss!, sabe más que yo).

Hadar, el maestro, vivía lejos, y era todo un paseo ir a su casa. Los días de invierno, dejaba a Jaume en su casa y luego llevaba a los otros dos niños a la librería Barnes & Noble más cercana, donde devoraban libros. Los días de verano, podíamos jugar y nadar en la piscina del conjunto de apartamentos de Hadar. ¡Era un paraíso!

Hadar le ponía a Jaume una enorme cantidad de deberes que requerían la ayuda de Google. Desafortunadamente, en la biblioteca pública de Atlanta no hay muchos libros sobre la historia de mi país, así que Internet era la única herramienta que teníamos para completar los deberes de historia catalana. Para ayudar a Jaume, Brian y yo decidimos comprarle su propio ordenador. Su décimo cumpleaños llegaba pronto, en mayo, y Google acababa de crear los Chromebooks, uno de los ordenadores más baratos que he visto nunca. Era el regalo perfecto para mi chico de diez años, tan maduro y responsable.

Otra medida que tomé para satisfacer el interés de Jaume

por los estudios sociales fue comprar revistas. Nos suscribimos a *Time for Kids*, *The New York Times Upfront*, *Muse*, *Dig*, etc. Estas revistas fueron muy útiles para mantenernos informados y actualizados.

Jaume también seguía las noticias en sitios web adecuados para niños y escuchaba las noticias en la radio. Desde entonces se informa sobre la actualidad y no ha dejado de aprender historia desde el día en que le ofrecí *La historia del mundo*. La historia y la política han sido una constante en sus intereses. Asistió periódicamente a clases de historia con Marilyn o con profesores de la Cooperativa Homeschool de Atlanta.

Marilyn, la madre de los amigos de Jaume, Javy y Teo, es la persona adulta perfecta para mi hijo. Es mi contraste. Yo soy escandalosa, loca e inmadura; en cambio, ella es seria, madura y pacífica. Yo soy una gran improvisadora, y ella es una gran planificadora. Básicamente, tengo todas las características que no combinan bien con mi hijo. Marilyn tiene todo lo que a mí me falta. Es una persona con muchos conocimientos, responsable y que sigue las normas, el modelo perfecto para Jaume.

Una vez, mi hijo, conservador en lo político, describió a Marilyn como su libertaria favorita. Qué suerte para mi hijo contar con esta adulta en su vida. Esta mujer maravillosa educó a mi hijo en todo lo que yo no pude. También se lo llevó a muchos viajes por los Estados Unidos con su familia.

Aunque adoro a Marilyn y lo buena que es para mi hijo, sus planes y sus maravillosas ideas educativas me estaban asfixiando. Así que me encontré en una situación complicada. Había encontrado el modelo perfecto para que mi hijo se formara, pero su personalidad extrovertida y su planificación meticulosa me ahogaban.

Resulta que soy una persona introvertida que se agota con la gente muy sociable como Marilyn. Además, mis tendencias rebeldes me hacen incapaz de planificar. No sé planificar, no puedo planificar.

Una vez Jaume cumplió los catorce años, le expliqué que si quería seguir recibiendo clases y emprendiendo aventuras con Marilyn, estupendo. Pero yo quería dejarlo. Le expliqué que en el instituto las madres se implican menos y los adolescentes toman las riendas. Le dije lo mismo a Marilyn y le pedí permiso para no participar. Le dije que quería que Jaume asumiera el control de su educación y me permitiera intervenir menos. Afortunadamente aceptó. Echo de menos pasar ratos con Marilyn, pero estoy muy ocupada con mis otros dos hijos, y me alegro de que Jaume haya encontrado su camino sin mí. La educación basada en seguir al niño y sus intereses trae decisiones difíciles como esta. Pero nadie dijo que la crianza de los hijos fuera fácil.

Como a Jaume le gustó mucho el laboratorio de ciencias de su anterior colegio, nos suscribimos al Club de Ciencias de Spangler. Este club le ofrecía la oportunidad de practicar actividades científicas en casa. Cada mes, nos enviaban a casa un kit completo con experimentos prácticos y retos que enseñaban a Jaume a pensar como un científico. A la larga, la cooperativa ofreció un laboratorio de ciencias. En él, los niños hacían disecciones de especímenes cada semana. Y gracias a Gene, un profesor de Spelman, Jaume tuvo una auténtica experiencia de laboratorio, con la disección de un cerebro y otros elementos.

Jaume descubrió también su pasión por el tiro al arco. Todo empezó con una de nuestras excursiones a Panola Mountain. Este parque estatal ofrecía clases para principiantes a las que asistió varias veces. Como la actividad le interesó, tuve que buscarle un club de tiro con arco donde pudiera recibir clases. Con el tiempo, sus habilidades avanzaron y se compró su propio arco y flechas. Lamentablemente, el club cerró cuando los propietarios se jubilaron, lo que nos obligó a buscar otro.

Igual que con las otras actividades educativas de mis hijos, no había ninguna opción de tiro al arco cerca de casa. Después de meditarlo mucho, elegimos un club de tiro al arco lejos de casa. 10 Ring Archery, en Woodstock, estaba a 45 minutos sin tráfico en una mañana tranquila de domingo. Por desgracia, su grupo de la categoría olímpica júnior se reunía los viernes por la tarde, lo cual es sinónimo de caravana aquí en Atlanta.

Si conoces los atascos de tráfico de Atlanta, posiblemente pensarás que conducir por la autopista todos los viernes por la tarde, con tráfico denso, y lento, es una pesadilla. Pero debo confesarte que esos viernes por la noche, sentados en el coche, atascados en la autopista, para mí fueron una bendición. Poníamos la radio, escuchábamos las noticias o un reportaje de la NPR, aprendíamos algo nuevo, discutíamos y debatíamos un tema de actualidad. Esos viajes en coche se convirtieron en la clase de ciencias sociales de Jaume y en un club de debate. También me sirvieron para ponerme al corriente de lo que él estaba aprendiendo. El chico era tan inteligente y experto en política que cada vez me resultaba más difícil simular ser una persona adulta, inteligente y madura.

Cuando Jaume cumplió los catorce años, lo animé a buscar trabajo. Lo intentó. Pero ninguna de las pocas empresas co-nocidas que contratan a niños de catorce años tenía ningún puesto disponible. Afortunadamente, su tío Craig, el hermano mayor de Brian, lo contrató durante el verano para hacer varios recados. Arrancó malas hierbas, limpió ventanas, destruyó documentos inútiles e hizo de canguro del cachorro de Craig. Gracias a Craig, que pagó a Jaume un sueldo muy generoso, Jaume pudo comprarse su propio ordenador. Ahorró, compró piezas de ordenador y construyó su propio PC él solito. Me sorprendió y me encantó ser espectadora de un espléndido aprendizaje autodidacta.

No escolarizar y seguir los intereses del niño a veces es fácil, pero también tiene sus momentos difíciles. Uno de esos retos fue llevar a Jaume a una tienda de pistolas, donde se puede practicar el tiro, y a una exposición de armas de fuego. Estuve muy incómoda en esos lugares, porque detesto las pistolas. (Me dan miedo las pistolas auténticas que matan, pero considero que las pistolas de juguete y las de aire comprimido son muy divertidas). Mientras que yo odio las armas, a mi hijo le gustan. Tanto, que quise facilitarle la experiencia. Como cualquier otra lección, era mi deber proporcionársela.

Otra experiencia difícil fue la pesca. A Jaume le gusta pescar con sus amigos Javy y Teo. Como comenté anteriormente, decidí dejar de comer pescado a una edad muy temprana. A la gente de mi tierra le encanta comer pescado, a mi madre le encanta especialmente. Me crie cerca del mar y pasé todos los veranos en él, adorándolo al máximo. No podía soportar comer a mis amigos nadadores y verlos muertos en la mesa a la hora de cenar. Pero con tal de servir a mi hijo, dejé de lado mi respeto por los peces. Esta última Navidad le compramos a Jaume una caña de pescar. Aunque yo preferiría que no matara peces.

La educación libre no siempre sale como uno quiere. No he conseguido persuadir a Jaume para que arregle el cobertizo que tenemos en el patio trasero. En realidad, es más que un cobertizo. Es una casita muy mona, muy pequeña, con un pequeño váter y un lavamanos. Parece una habitación de servicio antigua. Está tan descuidada que solo la utilizamos para guardar las bicicletas y los aparatos de jardinería. Me habría encantado que mis hijos se lanzaran a renovarla. Un proyecto así enseña muchas lecciones. Pero a ninguno le interesa, por mucho que les insista en que podría ser su propio espacio si lo arreglan.

Hoy en día, mi hijo, altamente sensible e introvertido, ha llegado a la edad adulta. Tiene un grupo maravilloso de amigos, un diploma de Bachillerato, un trabajo estable, es entrenador de un equipo profesional de videojuegos ganador de una copa, y está escribiendo su primera novela de ciencia ficción.

Recuerdo perfectamente cuando Jaume tenía unos ocho o nueve años. Estábamos los dos en la cocina, frente a la nevera, y yo hice una locura, como hago constantemente. Jaume sacudió la cabeza desesperadamente y comentó: «Un día escribiré un libro sobre cómo fue crecer contigo». Me reí mucho, porque no podía imaginar lo que debió de sentir un muchacho maduro, responsable, callado y serio al ser criado por una mujer tan entusiasta y alocada como yo.

Sin duda es escritor y editor. Hace tiempo que vi esas habilidades en él. Siempre imaginé que escribiría discursos para políticos, artículos de opinión política o para una revista de historia. Pero el día que me dijo que tenía un mundo en su cabeza y que surgía cuando dormía y soñaba, supe que tenía que apoyarle mientras escribía su novela de ciencia ficción.

Hice el certificado de notas de Bachillerato de Jaume por si lo necesita algún día en el futuro. Me sorprendió lo fácil que fue poner en un papel todo lo que ha aprendido en forma de asignaturas, porque este muchacho, educado de manera autónoma, ha estado aprendiendo sin parar.

Varias veces en los últimos cuatro años le pregunté si quería ir al instituto. La respuesta siempre fue que no. Le dije que mientras leyera muchos libros y revistas, viera documentales, siguiera las noticias, hiciera de voluntario en organizaciones y participara en las clases de Marilyn, todo iría bien. Me alegra decir que su expediente académico está más que bien. Es fabuloso. Definitivamente mejor que el mío o el de mi marido.

Por muy bueno que fuera su expediente académico, faltaba una asignatura importante. No para nosotros o para su futuro como escritor, pero sí para «graduarse» académicamente hablando. Aunque puede desenvolverse perfectamente en el mundo con sus conocimientos de matemáticas, yo no podía en buena conciencia escribir en su expediente de Bachillerato que había estudiado matemáticas. Para remediarlo, encontré una buena clase de Bachillerato *online* para Jaume, llamada

Matemáticas Prácticas, donde uno aprende las matemáticas importantes para la vida cotidiana; por ejemplo, calcular el IVA o la devolución de impuestos, y manejar el dinero, los bancos, las hipotecas y las tarjetas de crédito. Le dije que sería útil porque enseña las matemáticas necesarias para ser un adulto responsable y con éxito. Además, no quería mentir en su expediente académico.

Mientras escribo estas líneas, todavía no tiene el carné de conducir, no tiene prisa para obtenerlo. Sin embargo, tiene el permiso de practicar. Aunque no quiso aprender a conducir a los quince años (la edad en la que ya se pueden hacer prácticas en Estados Unidos), lo presioné para que lo hiciera una vez cumplió los diecisiete. Atlanta no es una ciudad fácil de recorrer con el transporte público. El transporte público de Atlanta es muy diferente al de Nueva York, Londres o Barcelona. En esas ciudades, el metro, los trenes y los autobuses pasan muy a menudo y ofrecen muchas rutas. Lamentablemente, en Atlanta no es así.

Al contrario de muchas familias americanas, decidí contratar a un profesor de autoescuela para Jaume y su hermana Afrika (que ya tenía los quince). Mi marido no quería enseñarles, y yo desafortunadamente no soy la persona indicada para ello, porque soy un muy mal ejemplo como conductora. Tener un buen profesor es crucial, ya que conducir bien es de vital importancia: la vida está en juego.

Una vez que aprendió a conducir con el profesor de la autoescuela, Jaume empezó a practicar conmigo. Querido lector, es increíblemente aterrador estar en el asiento del copiloto cuando tu hijo de diecisiete años está conduciendo. No me gusta. ¿Cómo lo hacen los padres americanos?

Ahora bien, si eres lo suficientemente valiente como para enseñar a tu hijo a conducir, seguro que eres capaz de educarlo en casa.

La gente no siempre aprende mediante la experiencia, pero sin ella seguro que no aprende en absoluto.

John Holt

ANIMALES

Tener animales domésticos ha sido muy positivo para la educación de mis hijos. Son criaturas maravillosas que nos dan compañía y nos enseñan múltiples lecciones. Eso sí, es cierto que la vida sin animales de compañía facilita irse de viaje.

A mi marido le encantan los perros y a mí los gatos. Nuestra primera mascota fue un gato blanco y negro. Este gato tan bonito y de pelo largo precioso fue testigo de la llegada de mis tres hijos y de todas las demás mascotas que hemos ido adoptando con el tiempo, hasta que falleció el año pasado de vejez.

Este gato nos enseñó sobre las heridas en el ojo, sobre la rivalidad entre gatos, y sobre cómo marcan su territorio con la orina. Al envejecer, nos mostró que los gatos dejan de limpiarse y rascarse las uñas. Cuando esto ocurre, sus uñas crecen tanto que llegan a la parte interior de las patas, causándoles lesiones.

Adoptamos nuestra primera perra mientras yo estaba embarazada de Jaume. Sierra era una mestiza naranja y marrón claro, peluda y hermosa, con parte de raza *chow*. También vio llegar a mis tres hijos, pero lamentablemente no se quedó a verlos crecer.

A Sierra le encantaba escaparse. Descubría distintas maneras de salir del patio trasero para irse de aventuras, de las que siempre regresaba. Para evitar que se escapara, pusimos en el patio trasero todo tipo de cerraduras en sus zonas de escape favoritas. Al final, se escapó para siempre.

Un día, en la época en que Brian estaba trabajando en Afganistán, abrí la puerta para ir a tirar la basura (estaban a punto de pasar a recogerla). Sierra corrió para adelantarme, se deslizó entre mi pierna y la puerta, y escapó. Se fue en un instante. La perra que tanto adorábamos nunca regresó. Fuimos a varias perreras y protectoras de animales para tratar de encontrarla. No hubo suerte. La fuga de Sierra nos enseñó el profundo dolor que da la incertidumbre.

Nuestro segundo gato vino del veterinario. Yo no andaba buscando otro gato, simplemente fui al veterinario para tratar el problema ocular del mío y salí del edificio con un nuevo gatito. ¿Mi excusa para adoptarlo? Jaume, que en ese momento era chiquitín, necesitaba su propio gato. Ross era un gato atigrado gris muy aventurero, pero no vivió mucho. Después de una corta temporada en nuestra familia, fue envenenado por los vecinos, que estaban hartos de él.

Nuestra tercera gata, Eve, gris, atigrada, muy dulce, vino del mismo veterinario. Fue una buena compañera para mis hijos, que entonces tenían cuatro y un años. Eve pasó muchos años con nosotros, y de vez en cuando traía algún regalo a casa. Cuando murió repentinamente en nuestra cocina, era una gata ya vieja que había vivido una buena vida. Ese día, la vimos viva andando por la casa y al rato la vimos muerta en el suelo de la cocina. Fue duro.

Nuestra segunda perra, Kenya, la traje yo a casa de forma improvisada. Un día de abril, estaba en mi clase de P5, terminando la jornada escolar, cuando una de las madres llegó a recoger a su hija. Llevaba una monada de cachorro todo negro y peludito. Parecía un oso de peluche negro preciosísimo. ¡Quería uno igual!

La madre me dijo que la perra de su vecina había tenido cachorros y que había otros disponibles. Al salir del trabajo, sin pensarlo dos veces, metí a mis dos hijos en el coche y me fui directamente a adoptar a uno de aquellos cachorros preciosos de raza mezclada. Cuando llegué a casa con Kenya, Brian se enfadó mucho. Unos cuantos meses después, Kenya y Brian se han vuelto inseparables.

Kenya es una perra familiar estupenda que siempre acepta a los nuevos animales que llegan a casa. Cuando Sierra se escapó aquel desafortunado día, Kenya la siguió. Menos mal que regresó a casa sana y salva. Kenya nos enseñó que un perro puede ser alérgico a las picaduras de pulgas. Mi primer gato tuvo pulgas una vez y no sufrió ninguna reacción. Kenya sí. Empezó a perder pelo, su piel mostraba un aspecto feísimo y tenía unos picores terribles. Gracias a todo ello, aprendimos mucho sobre las pulgas: qué tratamiento funciona, qué tratamiento no funciona, y cuál es su ciclo de vida. Actualmente, estamos aprendiendo los problemas del envejecimiento en los perros, ya que nuestra querida Kenya está perdiendo la vista y el oído con la edad.

Cuando Afrika estaba a punto de cumplir cinco años, pidió un gato para su cumpleaños, en septiembre. Ese mismo agosto, apareció en nuestra calle una linda gatita blanca con un ojo azul y el otro verde. Le dimos de comer para que se hiciera amiga nuestra, y rápidamente se convirtió en nuestra gata. Así que ya teníamos tres gatos y dos perros bajo el mismo techo.

Aquella gatita, que recibió el apodo de White Kitty, fue la mascota perfecta para mi hija, tan amante de los gatos. A White Kitty le encantaba ser el bebé de Afrika. Le encantaba que la mimaran y disfrutaba de los achuchones y de que la tuvieran en brazos: la compañía perfecta para una niña de cinco años.

Por desgracia, también le gustaba salir de casa. Al ser una gata callejera, pagó las consecuencias de una vida dura en las calles. Años más tarde, aquella adorable y mimosa gata blanca murió, atacada por otro animal. Una mañana muy temprano, una vecina llamó a la puerta y explicó que creía que nuestra gata estaba muerta en su patio delantero. Efectivamente, White Kitty estaba muerta. La gata de mi hija tenía un agujero en el pecho, donde parecía que otro animal la había mordido.

Normalmente llevamos a nuestros animales fallecidos al veterinario para que los incineren, pero esta gata tuvo una despedida diferente. Mi querido vecino Derek, el marido de Allison, construyó una tumba y cavó un agujero profundo en nuestro patio trasero. Enterramos a nuestra cariñosa y salvaje White Kitty, y luego cenamos juntos para celebrar su vida.

Durante una época, tuvimos dos ratones. Ya eran siete animales en casa al mismo tiempo. Rápidamente comprobamos que los ratones no son buenas mascotas si lo que te gusta es acurrucarte con ellas y acariciarlas. Más tarde, supimos que las ratas son mucho mejores.

Nuestra primera rata nos llegó en el momento perfecto. Acabábamos de volver de España, donde mi hija tuvo que separarse de su querido jerbo Rania. Afrika no puede vivir sin un animal de compañía, así que recibió un jerbo en España, que cuidó durante los cinco meses que estuvimos allí. Sabía que cuando llegara el momento de regresar a Estados Unidos, tendría que ceder a Rania a un miembro de la familia. Por suerte, mi primo se ofreció voluntario.

Una tarde soleada, mientras jugábamos en el patio trasero, nuestra vecina Allison gritó de repente a través de su porche:

«¡Hola!», gritó, «¿Queréis una rata? Una persona del barrio ha publicado en las redes sociales que su hija es alérgica a su rata y que necesitan encontrarle un nuevo hogar».

A mi hija y a mi vecina les encanta rescatar animales. Francamente, a mí también. Respondimos que estábamos interesados y Allison se puso en contacto con la familia del barrio. Al poco tiempo, éramos por primera vez dueños de una rata. Sanderson vino con una jaula, comida, todos los accesorios necesarios y también con su vejez a cuestas.

La primera vez que vi a la rata de cerca, me pareció muy fea, sobre todo por su cola con aspecto de serpiente. Pero pronto nos enamoramos de aquella rata anciana de color beis. Sanderson aportó muchas lecciones a nuestras vidas. Aprendimos lo inteligentes, limpias y sociables que son las ratas. Y que mucho de lo que se cuenta sobre ellas no es cierto. Además, descubrimos las HeroRats de la organización APOPO.

Las ratas son tan inteligentes que pueden detectar minas enterradas y encontrar otros explosivos. Cuando se las entrena, salvan vidas. Las HeroRats no solo están entrenadas para detectar minas subterráneas, sino también para detectar la tuberculosis, misión que realizan en África y Asia. Estudiamos la historia de las ratas y sus razas, y experimentamos la valiosa lección de cómo una rata se recupera de una embolia y se le diagnostica un tumor.

Un día, Sanderson no mostraba sus capacidades habituales para trepar por todas partes y para comer. Después de buscar en Internet, descubrimos que había sufrido un derrame cerebral (muy común en ratas viejitas). Así que era nuestro deber encargarnos de atender su salud para que pudiera recuperarse. Nos convertimos en enfermeros veterinarios, alimentando a la anciana rata con comida triturada y ayudándola a beber agua. Sanderson se recuperó poco a poco, pero unos meses más tarde sufrió un tumor.

Según el veterinario, los tumores son muy frecuentes en las ratas. Disfrutamos de Sanderson durante bastante tiempo después de que desarrollara el tumor. Vivió mucho tiempo mientras ese bulto pequeño iba creciendo. A pesar de ello, el animal se mostraba feliz y alegre.

El veterinario sugirió acudir a su consulta cuando el tumor afectara a la calidad de vida de Sanderson. Cuando tienes una mascota a la que quieres mucho, y te pasas los días jugando con ella, te das cuenta de cuándo cambian las cosas. Sabes cuándo es el momento de ir al veterinario. Nosotros lo supimos.

El triste día en que sacrificamos compasivamente a Sanderson, lloramos mucho. ¡Qué extraño que quisiéramos tanto a esa pequeña criatura! ¡Qué extraño sacrificar a una rata de la forma más humana posible, mientras que otros matan ratas todos los días con venenos o con trampas horribles!

Nos gustó tanto tener una rata como mascota que compramos otra alrededor del día de San Valentín. La llamamos, de manera nada original, Valentine. Esta rata blanca y gris tan bonita también aportó a nuestra familia una gran cantidad de alegría, amor, diversión e, inevitablemente, de tristeza, al desarrollar otro tumor.

Desde los siete años, Afrika deseaba tener un perro. Su amor y pasión por los animales ha ido cambiando constantemente a lo largo de los años. Empezó con los gatos y luego con los perros. Pronto pasó a los roedores y luego a los caballos. Afrika leyó todos los libros sobre perros que encontramos en las bibliotecas, memorizando las razas, junto con los datos y las características de cada una de ellas. Estudió tanto que, en su décimo cumpleaños (un cumpleaños especial en nuestra familia), no pude negarle la experiencia de tener su propio perro.

Brian y yo ya habíamos entrenado a dos cachorros, y no teníamos ganas de volver a pasar por ese proceso. Sin embargo, Afrika nunca había tenido la experiencia de criar a un cachorro. Y adoptar un cachorro sería más fácil que traer un perro adulto que debería compartir la casa con Kenya y los gatos.

Así que fuimos a la Humane Society de Atlanta, donde ya habíamos pasado muchas horas visitando cachorros, perros y gatos. Esta vez, íbamos a llevarnos un perrito a casa. La hermosa, blanca y beis Sadie fue la cachorra elegida.

El primer año de Sadie en nuestro hogar fue normal y corriente, nada destacable. Lamentablemente, las cosas empeoraron.

Sadie fue una perra de lo más dulce con los dos niños de acogida que cuidamos, y convivió con ellos y con toda la familia sin hacernos ningún daño.

Primero, acogimos y cuidamos para el Estado a un recién nacido adorable. Lo separaron de su familia después de que el padre o la madre le fracturara el cráneo. Además, tenía múltiples lesiones en sus bracitos y piernas. Luego atendimos a una niña de tres años que no hablaba. Estaba muy deprimida porque echaba de menos a su madre, una drogadicta que tuvo que ir a rehabilitación para recuperar a su hija. Sadie fue tan mansa con esos dos pequeñines que todavía no podemos comprender lo que pasó después.

Mi padre y mi sobrino menor, Julen, viajaron de Barcelona a Atlanta para pasar el verano con nosotros. Sadie, mientras era acariciada por Julen bajo mi vigilancia, se convirtió en un animal irreconociblemente agresivo. De repente, aquella perra tan dulce se convirtió en una perra llena de ira, y mordió a mi sobrino en el pecho. ¡Qué horror!

Mi padre sugirió que no sacrificáramos a la perra solo a causa de este ataque. Así que no lo hicimos. En lugar de eso, contratamos a un entrenador privado. Sadie siguió atacando agresivamente al gato Winter, a la perra Kenya y a mi gato anciano. Seguíamos sin querer sacrificar a Sadie, pero nos hacía la vida imposible. No podíamos estar relajados y tranquilos en casa. Por el contrario, estábamos constantemente alerta y manteniendo a Sadie separada del resto de las mascotas y de los invitados.

Lamentablemente, el entrenamiento con un profesional no funcionó. Incluso después del adiestramiento, Sadie dejaba de repente de ser una perra dulce y buena y se convertía en una bestia salvaje irreconocible. Pero no teníamos agallas para sacrificarla. Tenía que ocurrir algo más grande y desastroso.

Mi mano. Gracias a Dios que fue mi mano y no la de alguno de mis hijos. En un día frío de invierno, antes de mi cuarenta cumpleaños, mi mano derecha sufrió la mordedura de la fuerte boca de Sadie. Llorando de dolor y de tristeza por lo que iba a hacer, la llevé al veterinario. Al ver mi mano y mi cara de llanto, le aplicaron la eutanasia a Sadie mientras yo le susurraba al oído: «Lo siento, perdóname».

Mi pobre hijita —amante de todos los animales, vegetariana por elección propia— sufrió la muerte de su perra a manos de sus padres.

No hay mal que por bien no venga. Al menos yo prefiero creerlo. Me gusta pensar en la otra cara de la moneda. A veces no vemos ese lado bueno, pero elijo creer que está ahí, en algún lugar, escondido detrás de esos momentos complicados.

Tras la muerte de Sadie, no quería más perros en casa (aparte de Kenya, por supuesto). Tenía miedo cuando los perros se ladraban unos a otros en el parque. Me aterraba cuando la gente dejaba que su perro rondara sin correa por el parque, el río o la playa, sin respetar la ley según la cual es ilegal que los perros anden sin correa en un lugar público. Me quedaba petrificada cada vez que dos personas desconocidas dejaban que sus perros se olieran entre sí. Después de ver a Sadie atacar tantas veces a Kenya, temía constantemente otro ataque.

Sabiendo que no volveríamos a adoptar un perro, Afrika nos preguntó si podíamos adoptar un conejillo de Indias. Así es como Saïd llegó a nuestra familia. Transformamos la jaula enorme y vacía de Sadie, convirtiendo algo lleno de recuerdos tristes en un palacio para el conejillo de Indias. Esta nueva adquisición mantuvo a Afrika ocupada, aprendiendo todo lo necesario para cuidar como es debido a un animal de esa especie.

Afrika aprendió rápidamente que los conejillos de Indias hacen tantas cacas que hay que limpiar su jaula todos los días. ¿Sabías que estos roedores defecan tanto que en Perú, en algunos pueblos, las defecaciones generan la energía que consume el pueblo entero? ¡Impresionante!

Pasó un tiempo y empecé a mentalizarme de que, si alguna vez iba a convivir con nosotros otro perro, sería de tamaño pequeño. Necesitaba saber que, en caso de emergencia, podría controlarlo. Yo tenía que ser más fuerte que el perro. Y el perro tenía que ser compatible con Kenya.

La compatibilidad entre perros es complicada. Cuando Sadie entró en casa era un cachorro. Se la presentamos a Kenya y se llevaron bien durante un año. Pero el segundo año todo cambió. Fue duro.

Afrika investigó por todo Internet y encontró páginas web que ofrecían perros pequeños para adoptar. Acepté adoptar solo un perro pequeño que se llevara bien con Kenya. Nos reunimos dos veces con familias de acogida que ofrecían la posibilidad de un encuentro seguro para que los perros se conocieran. En ambas ocasiones, no salió bien. Francamente, me sentí aliviada. No tenía prisa para invitar a otro perro a unirse a nuestra familia.

Mientras tanto, una de las chicas que ayudaban en el centro ecuestre encontró una perra abandonada en el borde de la carretera mientras conducía a casa en medio de la lluvia. Llevó la perra al centro y buscó a alguien que la adoptara. Menos mal que una de las familias que montaban a caballo se animó a acogerla. Cuando mis hijos me contaron esta historia, me alegré de que no me hubiesen preguntado a mí.

Pasó más tiempo y llegó febrero. Mi padre vino a celebrar su setenta cumpleaños con nosotros, cuando recibí un mensaje de texto de Leah, la hija de la dueña del centro ecuestre e instructora de equitación. Me pidió que considerara la posibilidad de adoptar al cachorro encontrado en la carretera.

Al parecer, la acogida no funcionó bien con la primera familia que lo intentó. Así que Leah, amante de los animales y dueña de varios perros, también lo intentó. Me explicó que la perra era increíblemente cariñosa. Lo único que quería era compañía, algo que Leah no podía ofrecer porque estaba muy ocupada con los caballos.

Leah incluso trató de convencerme mencionando nuestra situación familiar. Comentó que Afrika estaba muy triste desde que su papá se fue a Afganistán. Un perro nuevo —esta perrita—, le haría compañía. Y yo sabía que ese papá que estaba en Afganistán me mataría si traía otro perro callejero a casa.

Sinceramente, no quería esa perra. Pero no sabía decir que no (aprendí a decir que no mucho más tarde en la vida.) Así que, en lugar de eso, le escribí: «No quiero otro perro. Solo puedo decir que sí si mi perra la acepta. Lo intentaré, pero si mi perra no la acepta, tendré que devolverla».

Estaba convencida de que Kenya y la perra nueva no se relacionarían bien, al igual que los perros anteriores. Pero quería dejar que Afrika viera por sí misma cómo las perras no se gustaban. Así no sería yo la mala de la película. Ni siquiera me molesté en decírselo a Brian o a Jaume, porque estaba segura de que la perra sería devuelta.

Mi padre y yo condujimos hasta el centro ecuestre para recoger a los niños y aparqué. Mientras estábamos esperando, vi a un perro blanco y negro muy feo aterrizar en los brazos de mi hija. ¡Madre mía! ¡Qué cosita tan fea! Mi padre, que no es aficionado a las mascotas, se quejó exasperado.

«¿Por qué te complicas tanto la vida?», preguntó.

Le hice callar. «¡Chiss! No te preocupes», le dije. «Las perras se van a conocer, no se van a gustar, y Afrika entenderá que no podemos quedarnos con esta perra. Mañana la devolveremos. Es solo una noche».

Me salió el tiro por la culata.

Dejé a Afrika y a la perrita nueva en el parque que hay cerca de nuestra casa. Luego fui a casa para recoger a Kenya y llevarla al parque para conocer a la perrita en territorio neutral. Afrika y yo paseamos a las perras una al lado de la otra. Ningún problema. Dejamos de caminar y permitimos que las perras se conocieran. Ningún problema. Nos sentamos y esperamos a que hubiera algún desencuentro. Ningún problema. Nos fuimos a casa, yo deseando en secreto que las dos perras no se llevaran bien una vez en el terreno de Kenya. De nuevo, ningún problema.

Tan pronto como la perra entró en la casa, corrió hacia la habitación de Afrika y se subió a la cama.

«¡Este perro es genial!», gritó Afrika. «¡Ya sabe meterse en mi cama!».

Para Afrika, la palabra *paraíso* significa dormir en una cama llena de perros y gatos. Por otro lado, nunca había visto a Jaume tan enfadado. El pobre no tenía ni idea de que íbamos a traer un perro a casa, y no quería más.

La nueva perrita, a la que Afrika llamó Jazz, es la compañera ideal para ella, son la pareja perfecta. No hay mal que por bien no venga. Y Jaume la adora.

Hoy en día, solo nos queda un gato. Winter, una gatita callejera gris, llegó a nuestras vidas un día de invierno. Una vecina nos propuso adoptar a aquella gata callejera que rondaba por el barrio. Le expliqué que estaba increíblemente ocupada y más que agobiada con mi nuevo papel de madre de acogida de un bebé maltratado. Pero la vecina no cedió. Por el contrario, quedó tan impresionada con el hecho de que fuéramos padres de acogida que se ofreció a pagar las visitas del veterinario.

Nos llevó bastante tiempo atraer a la gatita a casa. Afrika, con su felino toque mágico, atrajo a la gata a su habitación, y la vecina y ella se encargaron del resto. La adorable gata se pasó todo un año en la habitación de Afrika, sin recorrer nunca la casa y saliendo solo a la calle.

Muy lentamente, Winter se ha ido acostumbrando a nosotros. Ahora duerme en mi cama, me maúlla cuando quiere que la mime, y se ha pasado todo el tiempo que he escrito ese libro acurrucada a mi lado. Ella nos ha enseñado la belleza del esfuerzo constante. Hemos aprendido lo poderosa que es la paciencia cuando acoges a un animal vagabundo y desconfiado.

Nadie tiene que hacer nada para «socializar» a los niños, o hacerles participar en la vida de grupo. Nacen sociales; es su naturaleza.

John Holt

SOCIALIZACIÓN

¡Ja!

Esta preocupación de la gente que escolariza a sus hijos solía volverme loca. Ahora simplemente me provoca risa. Te juro sinceramente que me hace reír.

La socialización empieza en casa. La socialización es el proceso que permite a una persona aprender valores, lengua, cultura, comportamiento y habilidades sociales para poder desenvolverse en una comunidad. Así que ¿qué mejor manera de aprender y practicar activamente en la comunidad que permanecer encerrado en un edificio escolar?

Hay muchos artículos donde se explica que los niños socializan mejor fuera de la escuela. En la escuela, los niños pasan cinco días a la semana con compañeros de su misma edad. La educación en casa es como el verano, las vacaciones de Navidad y Semana Santa, todo combinado en uno. Tus hijos tienen la oportunidad de hacer amigos con niños de todas las edades, y al mismo tiempo se relacionan con los adultos.

Los niños educados libremente no solo tienen más oportunidades de socialización, sino que también tienen una mayor diversidad en esa socialización con personas de todas las edades y en una variedad de entornos. El hecho de que los niños de la escuela socialicen con niños de su misma edad y con pocos adultos me hizo llegar a la conclusión de que los niños educados sin *cole* están mejor socializados que los escolarizados. Por lo tanto, ya es hora de que los *unschoolers* y los *homeschoolers* empecemos a darle la vuelta a la tortilla. Es hora de que nosotros preguntemos a las familias que deciden enviar a sus hijos a la escuela:

Pero ¿qué vas a hacer para socializarlos?

Lo que los niños necesitan para prepararse para la lectura es estar expuestos a mucha letra impresa. No a las imágenes, sino a la letra impresa. Necesitan sumergir sus ojos en la letra impresa, como cuando son más pequeños sumergen sus oídos en el habla.

John Holt

LA PAREJA

He tenido mucha suerte de contar con mi querido marido, Brian, que siempre ha estado de acuerdo con todos los cambios que la educación de nuestros hijos ha sufrido a lo largo de los años. Me dio todo el control sobre las decisiones respecto a la trayectoria educativa de nuestros hijos. El hecho de que tenga una licenciatura en Educación y que ejerciera de maestra cuando Brian me conoció le generó confianza en mi capacidad para educar a nuestros hijos.

Una vez me dijo que la frase que más miedo le da es: «Brian, he estado pensando...».

Sí, estas palabras nos llevaron a adoptar un niño de Etiopía. Y me llevaron a dejar mi trabajo, lo que hizo que nuestra familia tuviera que arreglárselas con un solo sueldo. Esa frase tan corta fue el inicio de muchas experiencias: llevar a los niños a México para pasar todo el verano trabajando en una escuela rural, volver a mi tierra para «desamericanizar» a mis hijos, lanzarnos a la acogida temporal de dos niños. Esas palabras fueron siempre el inicio.

Se me han ocurrido un montón de ideas locas que al principio asustaron a Brian, y que ahora recuerda con alegría. No se arrepiente de ninguna de nuestras experiencias e incluso sonríe cuando le digo: «Brian, he estado pensando...».

Sacar a los niños del sistema escolar no solo era una idea descabellada para él, sino también para mí. No quería hacerlo, pero me vi obligada a ello. Afortunadamente, él estuvo de acuerdo.

No todas las parejas están de acuerdo cuando uno de los progenitores quiere educar en casa. No todas las parejas que están a favor de la educación en casa están de acuerdo en los detalles. Estas diferencias causan muchos problemas matrimoniales. Sinceramente, he tenido la suerte de que mi marido confíe en mí.

Sin embargo, no soy la única loca en esta relación. A finales de 2010, Brian me dijo que había encontrado un trabajo en Afganistán. En ese momento, mis tres hijos tenían siete, cinco y tres años. El más pequeño acababa de llegar a Estados Unidos y se estaba familiarizando poco a poco. No era el momento ideal para irse. Sin embargo, mi marido encontró un trabajo de consultor privado que le proporcionaría unos ingresos que jamás pensé que fueran posibles. El único inconveniente era que el trabajo estaba lejos de casa, a 12 000 kilómetros. Pero por fin podríamos pagar las deudas y ahorrar bastante para esos días de crisis que parecen estar siempre a la vuelta de la esquina. ¡Créeme cuando digo que llegaron muchas épocas de crisis!

¿Cómo íbamos a rechazar tal oportunidad?

A muchas mujeres les costó entender nuestra decisión. Preocupadas, me preguntaban: «¿Lo dejaste ir?».

¿Qué quieren decir con la palabra «dejar»? No soy la dueña de mi marido, y desde luego no me gustaría que él me diera órdenes a mí. ¿Quién soy yo para no «dejarlo ir»? Lo mismo ocurrió cuando me llevé a los niños a Catalunya durante cinco meses sin Brian. La gente se quedaba alucinada. No podían entenderlo. «¿A tu marido le parece bien?», preguntaban. Sí. Nuestro matrimonio no funcionaría bien si Brian no me dejara hacer lo que yo quiero hacer, y si yo no le dejara hacer lo que él quiere hacer. Nos amamos mutuamente, pero somos dos personas muy independientes.

Cuando propuso irse a Afganistán, lo apoyé. Me dio envidia su aventura. ¡Cómo deseé ser yo quien la emprendía! Como no estaba permitido acompañarle, disipé mi tristeza pensando en la gran cantidad de dinero que habría en nuestra cuenta bancaria. Al principio, fue difícil adaptarse a no tener a Brian en casa todas las noches, pero nos acostumbramos y valió la pena.

Cuando regresaba a casa para visitarnos, lo pasábamos en grande. Porque ahora teníamos los medios para hacerlo. Podíamos salir a comer a restaurantes, bajar por la montaña nevada de Stone Mountain haciendo *tubing*, ir de excursión a Chattanooga, visitar las islas de Georgia, las playas del Golfo de México y Miami. Fuimos a ver espectáculos del Cirque du Soleil y, mi favorito, ¡un viaje a playa del Carmen en México para nadar con delfines el día de Navidad!

Aunque disfruto estando con mis hijos, también me gusta y necesito estar sola. Por eso aproveché la afición de mi marido por la montaña y la acampada para que se llevara a los niños de excursión sin mí. Brian los llevó de *camping* a todos los parques estatales que se encuentran a dos horas en coche de Atlanta. De ellos, sus favoritos eran Fort Yargo y Fort Mountain.

Cuando iban de acampada, todos salíamos ganando. Los niños pasaban tiempo de calidad con su padre y disfrutaban de una gran aventura en la naturaleza, y yo me empapaba de la paz y la tranquilidad de una casa vacía. ¡Oh, días gloriosos, tranquilos y reconfortantes! Eran mis días de recarga. No salía de casa para nada, ni siquiera para hablar con mi querida vecina. Necesitaba desesperadamente un tiempo de calma.

Mi marido participó en la educación de nuestros hijos en los ámbitos en los que yo no podía. Él proporcionó sustento económico para que los niños pudieran inscribirse en las actividades que les interesaban. Llevó a los niños de acampada, una actividad que Afrika adoraba. Tuvo y sigue teniendo interminables conversaciones sobre historia y política con Jaume. Y ahora, practica y analiza jugadas de fútbol con Konji.

La tarea más importante que asumió Brian en la crianza de nuestros hijos fue leer en voz alta a los niños todos los días.

Como educadora, sé la importancia que tiene leer en voz alta a los peques, pero no me gusta nada hacerlo y me aburre esta tarea. Cuando Jaume era un bebé, le expliqué a Brian lo importante que era que le leyera todas las noches. Felizmente, leyó para sus tres hijos años y años cada noche hasta que llegaron a leer por sí solos.

Una vez que los niños leían por su cuenta y lo disfrutaban, Brian dejó la tarea. Pero años más tarde, cuando empezamos a hacer *unschooling*, me di cuenta de que los niños no leían ninguno de los clásicos. Así que le pedí a Brian que leyera *Oliver Twist* en voz alta después de la cena como experimento. Fue un éxito tan grande que siguió leyendo otros clásicos. Incluso mi padre participó en esta iniciativa. Cuando nos visitó, les leyó Heidi en catalán.

Educar libremente y siguiendo los intereses del niño puede ser difícil y agotador cuando no te gusta hacer lo que los niños necesitan o quieren. Definitivamente es importante encontrar a alguien que te ayude.

*La persona que realmente necesita
saber algo no necesita que se le diga
muchas veces, que se le taladre, que
se le examine. Una vez es suficiente.*

John Holt

LA RECTA FINAL

Detrás de cada familia que educa en casa hay una explicación sobre por qué eligieron ese camino en particular.

Hay quien decidió educar en casa porque su hijo era problemático en la escuela. Otros decidieron educar en casa porque su hija fue víctima de alguna agresión o se le diagnosticó hiperactividad. Unos eligen este camino porque de niños se aburrían en la escuela y quieren algo diferente para sus hijos. Otros educan en casa porque quieren que su religión sea el componente principal de la educación de sus hijos.

Mi historia fue una serie de catastróficas —o más bien, afortunadas— desdichas. Vine a Estados Unidos en busca de aventura, y sin duda la encontré. Convertirse en una madre que educa en casa es hacer de profesora, maestra de educación especial, canguro las veinticuatro horas, investigadora, terapeuta, secretaria, chófer y mucho más. La lista de funciones es interminable, ¡y me alegro mucho de poder hacerlas todas!

Me encantó ser canguro antes de convertirme en madre. Aquellos años trabajando de niñera fueron fantásticos y me lo pasé en grande. Quería mucho a los niños que cuidaba. Me encantaba pasar el verano con ellos, recogerlos del colegio y ayudarlos a hacer los deberes, darles la merienda y llevarlos a los entrenamientos y a los partidos. Esos años ayudaron a dar forma a la madre que soy hoy.

Mi abuela me contó una vez que, cuando mi padre era un bebé, ella quería hablarle. En aquella época —1949—, estaba de moda no hablar a los bebés. A mi abuela le resultaba natural hablarle a su recién nacido. Así que ignoró lo que era normal y siguió su instinto. Ahora sabemos lo positivo que es para los bebés que se les hable.

¿Hay otros instintos que estamos ignorando? ¿Otras cosas que sabemos que serían buenas para nuestros hijos, pero la sociedad nos dice que no las hagamos? Hay que cambiar. Sigamos nuestras intuiciones y nuestro instinto a la hora de educar a nuestros hijos. Ignoremos lo que es «lo normal». Después de todo, lo normal puede cambiar en el futuro.

Yo ignoré a mi instinto cuando me decía que es extraño llevar a criaturas de cinco años a la escuela para que las eduque un desconocido. Me sentí triste cuando tuve que hacerlo. No me gustó despedirme de mi hijo en su primer día de colegio. Pero no hice caso de mi voz interior, la empujé bien lejos, y me ordené a mí misma dejar de ser tan rara. Me convencí de que era normal escolarizar a los niños e ir a trabajar. Así es como funciona el sistema. Además, tenía mi propia clase de parvulario de la que ocuparme.

Querido lector, si tu instinto te dice que no envíes a tus hijos a la escuela, si sientes que tu instinto te pide que permitas a tus hijos dirigir su propio aprendizaje y quieres hacerlo, significa que todavía llevas la sabiduría de tus antepasados dentro de ti. No eres un bicho raro. Educar en casa es posible y vale la pena. Tú puedes.

Si estás dudando sobre enviar a tu hijo a la escuela, te invito a que pruebes la educación libre. Inténtalo durante un año. Vive como si fueran las vacaciones de verano todo el año. Deja que tus hijos se desenvuelvan en la vida como quieran. Si tus hijas quieren jugar en un charco de barro, déjalas. Simplemente, prepara toallas y una muda de ropa. Y si saben hacerlo, pídeles que laven la ropa después de divertirse con el barro. Pero, te lo pido por favor, no les prohíbas jugar en ese charco. Puede parecer un desastre, pero conduce al aprendizaje.

Cuando dejas de pensar bajo el filtro del sistema educativo, cambias de chip, y dejas que el niño aprenda de forma natural. Descubrirás que a los niños les gusta aprender y aprenden. El niño o la niña quiere investigar, averiguar, probar, buscar explicaciones, es inquisitivo, y de una manera u otra los aprendizajes van llegando a su tiempo.

¿Estás considerando la posibilidad de educar sin seguir ningún currículum educativo? Espero que este libro te anime a tomar una decisión. Si quieres intentarlo pero te da un poco de miedo aventurarte en un territorio nuevo, aquí te dejo un consejo sencillo que puedes usar: vive cada día como si estuvieras de vacaciones.

¿Sientes miedo de que tus hijos no hagan nada? Eso es imposible. No hacer nada es hacer algo. Hazme caso. Te sucederán escenas como esta: un día estaba en la playa relajándome en la arena, disfrutando de la vista de las aguas asombrosamente cristalinas del Golfo de México. Entonces mi hijo de casi dieciocho años me sorprendió con un tipo de conocimiento científico que va más allá de los míos como licenciada de cuarenta y tres años.

«Eh, tíos», dijo Jaume, «cuando te tumbas y miras al cielo, puedes ver acumulaciones de proteínas en tus ojos».

«¿Cómo?»

Este tipo de revelaciones son habituales. Vas a alucinar con la cantidad de información que aprenden libremente.

Por ahora tengo dos hijos más que sacar adelante, pero el hecho de haber llegado a la meta con mi primer hijo hace que sea más fácil mirar hacia atrás y ver a los otros dos que todavía están en marcha. De momento, soy la agente AAA de mi Atleta, Acróbata y Autor.

A veces las situaciones no deseadas de la vida resultan ser experiencias realmente buenas y enriquecedoras. Estoy hablando de momentos oscuros con luz al final del túnel, no de momentos traumáticos, extremadamente dolorosos, como la muerte de un ser querido. No me refiero a ver a tu hijo enfermo en el hospital, como el amigo de Jaume, un niño de 12 años que luchó contra el cáncer durante un año. Eso, mi querido lector, deseo que no le pase nunca a nadie. Con todo mi corazón lo deseo. Los momentos negativos de los que estoy hablando son tormentas manejables, los palos normales que te da la vida.

He notado que todos los sueños por los que luché, esforzándome como loca, tenaz para conseguir hacerlos realidad, han sido las experiencias más difíciles en mi vida. En cambio, muchos de los imprevistos que me lanzó la vida sin yo quererlos, una vez aceptados, han sido las experiencias más fáciles de navegar. Estos últimos dieciocho años inesperados han sido de lo mejor.

Yo planeé y, por suerte, Dios se rio ocupándose del resto. Me dio a mi hijo, mi primer «palo». ¡Hice una cabaña chulísima!

Un cambio social efectivo es un proceso que se desarrolla a lo largo del tiempo, por lo general bastante largo. En un momento dado de la historia, el 99 % de una sociedad puede pensar y actuar de una manera en un determinado asunto, y solo el 1 % piensa y actúa de manera muy diferente. Con el tiempo, ese 1 % puede convertirse en el 2 %, luego en el 5 %, después en el 10, el 20, el 30 %, hasta que finalmente se convierte en la mayoría dominante, y el cambio social se ha producido.

John Holt

¿Tienes dudas?

¿TIENES DUDAS?

Una vez me preguntaron qué es lo que más me ha gustado de educar sin escuela. Me costó mucho encontrar una buena respuesta porque quería decir «¡TODO!». Pero, después de pasarme toda una mañana pensando, llegué a una conclusión: mi parte favorita ha sido lo mucho que he aprendido y el cambio en mi manera de pensar; me siento más feliz, más libre y tengo paz.

Mi parte favorita también ha sido ver, con mis propios ojos, cómo mis hijos aprenden sin ninguna expectativa, sin comparaciones y siguiendo sus pasiones.

Saben quiénes son porque no han sido moldeados ni por mí, ni por su padre ni por sus maestros. Y ver el resultado final (después de muchos años) es una gran satisfacción. Aún me sorprende lo muy responsables e inteligentes que son mis hijos.

Muchas familias educan en casa para fortalecer la relación familiar. Aunque no fue mi razón principal en absoluto, ha sido una maravillosa consecuencia.

Afrika y Konji no se acuerdan de que yo era maestra y trabajaba. Unas cuantas veces han comentado con preocupación que no tengo mi propia vida o una carrera. Por mucho que se lo explique, no entienden que cuidarlos, ayudarlos a crecer y aprender, ha sido mi mejor vida, y lo mejor para mi carrera.

Cuando tomas la decisión de sacar a tus hijos del cole, estás muy asustado y te sientes perdido. Lo primero que haces es buscar a alguien que ya sepa del tema. Mucha gente me ha llamado pidiendo ayuda y en el parque he conocido a muchas mamás que tenían dudas. Yo, igual que ellas, sentí miedo, y tuve la suerte de tener mentores. Mamás con mucha experiencia me ayudaron. Ahora soy yo la mamá veterana y me toca a mí ser la mentora. Y lo hago con mucho gusto.

No quiero «convertir» a nadie. Para nada. Todo lo contrario. Lo que quiero es transmitir el mensaje y que la gente sepa que existen opciones. Si estás pensando en educar fuera de la escuela, o tienes curiosidad sobre ello, sigue leyendo. Pero si tú estás contento con tus criaturas en la escuela, por favor no sigas leyendo porque te podrías sentir ofendido, y no quiero ofender a nadie. Mi misión es enviar el mensaje de que educar fuera de la escuela es posible y responder las posibles dudas sobre el tema.

Lo más importante es saber que el gobierno no tiene por qué elegir la educación de tus hijos. Tú tienes el derecho de escoger la mejor educación para tu familia, moldearla, adaptarla, cambiarla tantas veces como sea necesario. Es un derecho humano escoger la educación de los hijos, y es un derecho humano escoger personalmente la educación que uno desee para sí mismo. Un derecho no respetado en muchos países.

Las personas que educan en casa son gente rara

Rara pero feliz. Tengo varias observaciones al respecto.

1. En la escuela también hay niños «raros». Estos niños «raros» tienen dos opciones. Una, seguir siendo «raros» y terminar sin amigos. O dos, disimular y hacer ver que no lo son para tener amigos, lo cual significa que aprenden a no ser ellos mismos y sufren.

2. Si tus hijos son «diferentes», qué bendición tan grande optar por educarlos fuera de la escuela, donde podrán ser ellos mismos sin ser ridiculizados. Y, como muchas mamás dicen, «No quiero que la escuela apague la raridad de mi hijo».

3. Si la sociedad no acepta a la gente «diferente», ¿qué te dice eso de la socialización en la escuela?

4. A mí lo que me parece raro es que tanta gente sea igual, que todos hagan lo mismo, todos siguiendo al rebaño. Yo no me considero rara, pero si ser diferente, única, cien por cien yo misma, despegada del rebaño es ser raro, entonces te invito a que seas parte de los raros. Te va a encantar.

¿Puedo seguir trabajando y educando en casa?

¡Claro que sí! Hay muchas familias que educan a sus hijos y trabajan. Normalmente tienen trabajos con horarios flexibles, teletrabajan, o poseen su propio negocio *online*.

Mi amiga Jennifer es traductora (trabaja en casa) y su marido profesor de universidad. Entre los dos están educando a cuatro varones, uno ya universitario. Mi amiga Kali es peluquera y trabaja los días que su marido puede estar en casa con las dos niñas. Conozco a varias mamás que tienen su propio negocio *online*, como mi amiga Jessica, que diseña y vende ropa y bañadores *online* y educa a sus tres hijos en casa.

Yo sí deje de trabajar y no me arrepiento para nada. Ayudar a mis hijos a aprender y encontrar sus pasiones ha sido una experiencia maravillosa y muy beneficiosa para mí como educadora.

¿Cómo van a encontrar amigos?

No todos los niños tienen amigos en el colegio. Hay niños que hacen amistades con los vecinos, los niños del parque, o los compañeros de deporte o el grupo de teatro.

Si te apuntas a actividades organizadas por familias *homeschoolers* (que ya hay muchas en España, por ejemplo) tus niños van a hacer amistades. Si apuntas a tus niños a actividades extraescolares, encontrarán amigos. Si vives en un vecindario lleno de niños, sal a jugar y tu hijo conocerá amigos, y si vives en un sitio donde no hay niños, busca un parque cerca de una escuela, y vas a ver que está lleno de niños por la tarde.

Mi hijo mayor hizo amigos en la cooperativa *homeschool*. Todo su grupo de amigos son *homeschoolers*. Mi hija hizo amistades en la cooperativa y en el centro ecuestre, tiene amistades *homeschooler* y otras que van a la escuela. Y mi hijo pequeño hizo un buen amigo en el centro ecuestre y este amigo le ha facilitado más amistades; todos sus amigos van al colegio.

¿Cómo aprenden?

Las criaturas son curiosas, y esa curiosidad las ayuda a aprender. De la misma manera que aprenden a beber, comer, caminar, correr, saltar, hablar, etc., van a aprender a contar, a leer y a escribir. Los humanos aprendemos imitando lo que vemos a nuestro alrededor, así que los peques quieren hacer lo mismo que los adultos. Si en la sociedad donde el niño crece hay letras, palabras y frases, el niño va a aprender a leer y escribir. Si el niño crece jugando, cocinando y utilizando el dinero, va aprender a contar, ya que los números están por todas partes: mira a tu alrededor, hay números en tu cocina, en la calle y en las tiendas. En el día a día se aprende.

Las criaturas tienen instintos naturales para aprender siempre y cuando el entorno lo permita. Tu trabajo es proveer este entorno. Los niños, si son libres de perseguir sus propios intereses, no solo aprenderán todo lo que necesitan saber, sino que lo harán con energía y pasión. Los niños están llenos de curiosidad, alegría y sociabilidad para dirigir su propia educación.

La selección natural ha creado a los seres humanos motivados para practicar las aptitudes necesarias para la vida. Las criaturas quieren aprender. Aprenden practicando. Y practican jugando. Practican caminar, hablar, cocinar, vestirse, limpiar, leer, escribir, contar, sumar y mucho más. Practican esas habilidades jugando. Y aquí es donde muchas escuelas intentan con buena fe que los niños jueguen, pero el juego debe ser libre, escogido por el niño, sin ser estructurado ni interrumpido por el adulto.

Jugar libremente es la clave para la educación del ser humano. Jugar, te guste o no, te lo creas o no, es aprender. Jugar es la manera natural en la que los niños aprenden. La naturaleza nos diseñó así, y en el colegio, una vez el niño entra en clase, el juego libre se termina. Muchas escuelas intentan enseñar jugando, pero no todos los niños quieren jugar al juego organizado por la *profe*.

¿Y la hora del patio? Treinta minutitos o una hora de juego libre no es lo mismo que pasarse todo un día jugando con los amigos en el río, el bosque, el parque, o en casa.

Los niños aprenden (de verdad) cuando hay motivación, disposición y elección propia, cuando son autónomos, están activos, no sienten estrés, y cuando el proceso de aprendizaje es más valioso que el resultado final.

Todos los niños quieren aprender. No confundas escuela con aprendizaje. No todos los niños quieren aprender lo que el maestro va a enseñar aquel año, semana o día. Los estudiantes de una escuela son un público prisionero, no están allí por voluntad propia, y por eso, la curiosidad, la motivación, las ganas de aprender y la buena actitud desaparecen.

¿Qué hemos hecho con la infancia? Hemos suprimido su instinto natural de aprender de tal modo que ahora ni siquiera sabemos que las criaturas aprenden por sí mismas. Tenemos que restaurar el derecho de aprender libremente, explorando y a través de la aventura.

No soy lo suficientemente inteligente para educar a mis hijos

Cuántas veces he escuchado estas palabras de gente que ha ido al colegio y creen que no son inteligentes. No cometas el error de incorporar a tus hijos al sistema escolar que, según tú, te hizo tonto.

Si no sabes nada y no eres inteligente, ¡perfecto! Así vas a ir aprendiendo con ellos. No hace falta ser superinteligente, créeme, estamos todos cualificados para educar a nuestros hijos porque no los vamos a adoctrinar, sino que vamos a potenciar su desarrollo intelectual. Lo importante no es ser muy inteligente, sino ser creativo con las soluciones que vas a ir necesitando durante el proceso para proveer sus necesidades.

Es fundamental ser sincero y humilde, y aprender juntos. Miles de veces les he dicho a mis hijos «No lo sé, no tengo ni idea. Acuérdate de que fui al colegio y por eso no sé nada».

No sé cómo hacer un plan educativo o qué currículum seguir

En este aspecto no te puedo ayudar mucho porque yo opté por el *unschooling*, es decir, no seguir ningún plan educativo.

Hay muchísimos currículos y métodos: la educación clásica, Charlotte Mason, Waldorf, Thomas Jefferson. También están el método Montessori, la teoría de las inteligencias múltiples, las unidades de estudio, los currículos de editoriales religiosas o ateas, las escuelas a distancia (*online* y por correspondencia), y el *unschooling*, término que suele causar reservas, por lo que a veces se sustituye por la denominación *child led* o *self directed learning*.

Yo escogí el *unschooling*, que consiste en educar sin ningún currículum ni plan educativo. Simplemente sigues los intereses del niño, y los dejas aprender a su manera natural. Autodidacta. Yo creo firmemente en educar sin ningún currículo. El niño debería ser el currículo que debes seguir. La gente confunde *unschooling* con negligencia, pero para nada esta manera de vivir es negligente; al contrario, queremos darlo todo a nuestros hijos.

Por qué decimos unschooling *en lugar de* homeschooling

Vuelvo a este tema. *Homeschooling* y *unschooling* son dos métodos distintos. *Homeschooling* es llevar la escuela a casa; el adulto utiliza un plan educativo y lo sigue. *Unschooling* es olvidarse completamente de que la escuela existe y no utilizar ningún plan educativo. *Unschooling* es volver a la manera natural de educar.

Las criaturas son curiosas, su curiosidad las ayuda a aprender. Si ya estás haciendo *homeschooling* con tus hijos y ves que alguno de ellos no quiere aprender, no tiene interés en tu lección y te agota intentar seguir el plan educativo del día, te animo a que le des tiempo libre. Déjale probar distintas actividades, y no lo conviertas todo en una lección escolar. Poco a poco, descubrirá sus aptitudes y sus pasiones, y siguiendo estas preferencias el aprendizaje surge y es mucho más fácil.

Unschooling es entender que el aprendizaje está en todas partes, no solo en los libros de texto o en una clase, sino que se produce a diario, no se puede parar o empezar, o decidir qué día vas a aprender tal lección. Por ejemplo, se aprende un montón con la simple actividad de ir a comprar al supermercado.

Yo creo, y otras personas también, que los niños aprenden mejor por iniciativa propia, a través de sus propios medios elegidos y autónomos. La mejor manera de ayudar a los niños a aprender es dejarlos solos, excepto cuando piden ayuda o consejo.

Unschooling es vivir, ser libre, y buscar la felicidad. A veces parece que los niños no hacen nada, pero su mente está trabajando. *Unschooling* no es ser vago; al contrario, es bastante agotador.

Lo que los niños aprenden por iniciativa propia no se puede enseñar de otra forma. Los niños necesitan explorar por su cuenta. Necesitan libertad para desarrollarse y, sin ella, sufren.

Las criaturas tienen la inclinación natural para aprender. La condición es que el entorno les facilite la tarea. Yo te propongo invertir tu dinero en salidas a museos, parques temáticos, teatro, cine, restaurantes, actividades extraescolares, etc., en lugar de gastarlo en planes educativos que no sabes si te van a servir. Poco a poco vas a ir viendo qué intereses tiene tu hijo, y decidirás qué dinero invertirás en seguirlos: música, deporte, arte, robótica, libros, cocina, ¡lo que sea!

Las familias que siguen un plan académico escolar se encuentran con el mismo problema que la escuela: el niño pierde el interés por aprender. ¿Tú qué prefieres, saturar a tus hijos con conocimientos y matar su curiosidad, o que tengan curiosidad y nunca se cansen de aprender? Yo prefiero que la curiosidad de mis hijos siempre esté al 100 % y siempre estén motivados por aprender. Yo prefiero no controlar su educación y proveer lo que necesiten para ir aprendiendo. Cuesta, pero te animo a que aceptes el descontrol.

No sé por dónde empezar. ¿Qué hago?

Empieza con la mentalidad de un turista. Visita todas las atracciones de tu ciudad o de la ciudad que tengas más cerca: zoo, museos, edificios, playas, montañas, tiendas, restaurantes… Pasea por el casco antiguo, y también pasa días en casa, jugando, descansando, leyendo.

Ve a la biblioteca y al centro cívico, visita una tienda de instrumentos musicales, ve a la perrera y pasa un rato con los animales. Visita los bomberos, la panadería, una residencia de ancianos, haz de voluntario en una organización.

Ofrece a tus hijos actividades, clases, oportunidades y mucho tiempo libre para jugar.

Pero ¿cómo te gradúas sin escuela?

Veamos: en mi caso, mi hijo de 18 años no ha necesitado

graduarse. Él ha decidido no ir a la universidad y centrarse en escribir su primera novela. Quiere ser escritor y para serlo no se necesita ningún diploma. También es entrenador de un equipo ganador de videojuegos (ahora dan becas universitarias a los jugadores de *e-sports*), y tampoco necesita ningún título para este trabajo. Y para ganar dinero mientras está escribiendo su novela trabaja en una cafetería donde tampoco ha tenido que mostrar ningún diploma. Aunque no necesita un título ni un expediente académico de la escuela secundaria, yo le he hecho uno por si acaso.

Aquí en Estados Unidos el padre o la madre puede hacer el expediente académico de un niño porque ellos son quienes lo han educado. Hay muchas páginas web donde puedes comprar o copiar gratuitamente la plantilla del expediente de una escuela. Si no te ves capaz de crear uno, hay páginas web que, enviando una lista de lo que el niño ha aprendido, elaboran un diploma y expediente académico (https://www.westriveracademy.com). También hay escuelas en Internet, llamadas *umbrella schools*, donde te ayudan y te protegen si vives en un país o estado donde no te permiten educar sin escuela; por ejemplo https://galileoxp.com

Hay muchas opciones para graduarse. A medida que haya más familias *homeschoolers* en España y en otros países de Europa y de Hispanoamérica, las normas van a ir cambiando. De momento, los niños consiguen un título con los exámenes libres o se matriculan en 4.º de ESO para graduarse. Puedes visitar la siguiente página web para informarte sobre las graduaciones (piensa que graduarse es solo necesario para algunos trabajos, pero no para todos, las cosas están cambiando):

https://www.educacionlibre.org/

Pero ¿y la universidad?

Si la persona que aprende sin ir a la escuela decide ir a la universidad, entonces esa persona investiga qué requisitos se necesitan para entrar en ella. Por ejemplo, el amigo de mi hijo, Jack Henry, dijo durante mucho tiempo que no quería ir a la universidad. Pero ahora, con dieciocho años, quiere ser profesor de literatura inglesa. Así que debe obtener el título universitario. Y para entrar en la universidad, debe superar un examen de escritura, lectura y matemáticas. Aunque para estudiar literatura no se necesitan matemáticas, para acceder a la universidad sí hay que pasar el examen de *mates*. Por tanto, ahora Jack Henry está estudiando matemáticas para enfrentarse a esa prueba.

El libro *Unschooling to University* de Judy Arnall trata de personas que fueron educadas sin escuela y entraron en la universidad. Y yo personalmente conozco a familias cuyos hijos han entrado en la universidad siendo *unschoolers*.

Tanto mi amiga Amity como su marido fueron educados sin escuela y los dos son universitarios. Ahora están educando a sus tres criaturas también sin escuela. Mi amiga Sarah, también educada en casa, fue a la universidad, aunque no asistía a las clases; simplemente preguntaba al profesor qué estudiar, estudiaba por su cuenta y se presentaba a los exámenes. El hijo de la doctora Gina Riley, experta en *unschooling*, nunca fue a la escuela: su primer día de clase fue en la universidad. Te puedo aburrir con la larga lista de gente que fue a la universidad sin pasar por el colegio.

Normalmente, los *unschoolers* que van a la universidad no tienen dificultades en las clases; lo que les cuesta entender es la inmadurez y las pocas ganas de aprender que tienen sus compañeros.

Para entrar en la universidad simplemente hay que averiguar las normas de entrada y seguirlas. En Estados Unidos es fácil. Me gusta pensar que en España pronto las universidades van a admitir a los estudiantes que superen la selectividad sin haber cursado el Bachillerato. De momento los *homeschoolers* de

España que quieren estudiar en la universidad optan por estudiar en universidades de Inglaterra, Estados Unidos u otros países (*online* o presencialmente) donde admiten a *homeschoolers* que aprueban el examen de acceso sin títulos previos.

Permíteme decirte que educar a tu hijo solo con el fin de ir a la universidad es un error. Una persona debe escoger su propio camino. Hay demasiada gente con carreras universitarias que no es feliz y vive una vida que no desea. Deja que el adolescente escoja su futuro y trata todas las opciones con igualdad. Ya basta de mirar a los universitarios con ojos de admiración y a los trabajadores sin carrera universitaria con desprecio. Triunfar en la carrera no es triunfar en la vida.

Mi pareja no quiere, no lo ve claro

Bueno, este es un tema difícil. Hay que ir educando a la pareja poco a poco, explicarle los beneficios de la educación en casa, mostrarle que otras familias ya lo han hecho, demostrarle resultados, ir a conferencias. Poquito a poquito.

Yo le dije a mi marido (y él me vio hacerlo durante mucho tiempo) que había leído muchos libros sobre educar sin escuela. Lo invité a discutir el tema conmigo siempre y cuando él hiciera su investigación educativa. Nunca lo hizo. Con el tiempo ha ido encontrando artículos y vídeos de gente que él admira y que critica el sistema escolar.

No quiero causar peleas matrimoniales, pero, si tu pareja quiere que vuestros hijos vayan al colegio, pídele que te demuestre con información que la escuela es necesaria y beneficiosa. No vale decir «es lo que siempre hemos hecho». Esta frase no solo no es válida sino que tampoco es cierta. Los niños siempre se han educado con la familia, con un tutor o solos. La escuela vino mucho más tarde y lo cambió todo.

Demuéstrale a tu pareja que licenciados y doctores en Psicología y Educación han educado y están educando a sus hijos sin escuela: la doctora Gina Riley, Kerry McDonald, Julie Bogart, Peter Gray. Dile a tu pareja que muchos maestros y directores de escuela han decidido educar a sus hijos en casa.

Demuéstrale a tu pareja la gran cantidad de libros que hay sobre este tema. Solo tienes que escribir en Google dos palabras: *unschooling books*. Hay miles de resultados. Muéstrale videos en YouTube de familias *homeschoolers* y *unschoolers*, muéstrale artículos de *homeschooling*, etc.

Mi familia y amigos no lo entienden, no están de acuerdo y me critican

Qué pena cuando la familia y los amigos no respetan tu decisión o la critican cada vez que te ven. En mi opinión, un buen amigo no te critica (o te critica de forma constructiva), sino que te apoya. La familia es otra historia. Hay que frenar sus acusaciones y no pelear.

Ya se ha demostrado en libros, tesis doctorales y artículos que los métodos educacionales alternativos son un éxito, no tenemos por qué justificar continuamente nuestra opción. ¿Acaso nosotros pedimos a las familias que llevan a sus hijos al colegio que nos expliquen por qué lo hacen?

Por si lo necesitas, estos son algunos argumentos que puedes usar:

«La escuela es una buena opción para algunas familias, pero no funciona para la mía».

«Prefiero educar en casa, es una opción válida y es un derecho humano (artículo 26 punto 3 de la Declaración Universal de Derechos Humanos de las Naciones Unidas)».

«Hay muchos libros escritos por doctores que hablan de educar sin escuela, método que no afecta a la inteligencia ni la sociabilidad de los niños».

«Hay muchos maestros y profesores de universidad que educan a sus hijos sin escuela».

«No quiero discutir este tema con una persona que no ha estudiado Educación».

«Cuando hayas investigado y analizado el tema, hablamos».

«Son mis hijos, no los tuyos».

«Cada uno que eduque a sus hijos como quiera».

«No te preocupes, sé lo que estoy haciendo. Hay mucho estudio detrás de este tema y hay mucha gente que lo ha hecho».

«Yo respeto tu decisión de llevar a tus hijos al colegio, respeta tú la mía».

Y cuando te pregunten cuándo vas a llevar a tus hijos a la escuela, la respuesta adecuada es «Cuando ellos quieran ir». Incluso puedes contestar «¿Cuándo vas a sacar los tuyos del colegio?».

Pero dejar crecer a los niños haciendo lo que quieran no es bueno. Tienen que aprender a hacer cosas que no quieren, es parte de la vida. No pueden estar todo el día jugando y haciendo lo que desean

Cierto, es parte de la vida hacer cosas que no queremos. Y como ya he dicho antes, crecer sin escuela es vivir la vida; por tanto, vamos a ir encontrando actividades que no queremos hacer.

Los niños aprenden a hacer cosas que no quieren; por ejemplo, ir a dormir cuando prefieren jugar, lavarse las manos, ducharse, lavarse los dientes, recoger los juguetes, comer sano. Hay muchas cosas que no quieren hacer, pero las hacen porque los vamos educando.

Por ejemplo, cuando mis hijos eran pequeños, les dije que estaba harta de lavar los platos de todos y que cada uno se lavara el suyo después de comer. Desde hace años lavan sus platos. Por supuesto que no quieren hacerlo, pero lo hacen. Lo mismo con la colada: los tres se lavan su ropa. No es algo que quieran hacer, pero es necesario.

Cuando su padre se fue a trabajar a Afganistán durante mucho tiempo, no querían que se marchara, pero aprendieron y se acostumbraron a algo que no querían. Y cuando trabajaron en el centro ecuestre, no querían recoger las cacas de caballo cada día, pero lo hacían porque así podían montar a caballo.

Ahora también aprenden a hacer cosas que no les apetece hacer, y las hacen porque son necesarias. Por ejemplo, mi hija no tiene ganas de ir a clases de gimnasia, ni de danza, ni de teatro, pero las necesita para entrar en la universidad de artes circenses. El amigo de Jaume no quiere estudiar matemáticas, pero lo está haciendo para acceder a la universidad.

Y luego están los golpes que te da la vida. El más reciente, la pandemia y su confinamiento, nos enseñó a todos a hacer cosas que no queríamos hacer. Mis hijos tenían planeado pasar el verano del año 2020 en España, pero llegó la pandemia y les derrumbó los planes. Dos años más tarde, mi hija, que no quería vacunarse del COVID-19, lo hizo para poder ir a España a ver a su abuela.

Seguir tus pasiones y aprender lo que te apetezca no impide aprender a hacer cosas que no te gustan. La vida te da muchos golpes, los suficientes para aprender que a veces toca hacer lo que no queremos hacer.

Pero igual de imprescindible es aprender a decir NO. Es importante tener la libertad de decir «no, no quiero». Es importante tener la libertad de escoger no hacer algo y de dejar una actividad que ya no te interesa. Es increíble la diferencia abismal que hay entre un joven aguantando sin interés la lección de un profesor, que este mismo joven siguiendo sus verdaderos intereses.

Durante la pandemia vimos que los niños no pueden estar todo el día encerrados en casa

Lo que vimos durante la pandemia no fue *homeschooling*, fue un confinamiento. Educar sin escuela no es confinamiento, es aprender en casa, fuera de casa, y por todas partes, en la ciudad y en el mundo. De hecho, se parece más a un confinamiento pasar cinco días en la escuela que vivir la vida sin ella.

Encerrar a niños y jóvenes en un lugar donde no hay cambios, donde no hay nada nuevo que explorar, donde uno necesita permiso para usar el baño o beber agua, eso sí es un confinamiento. El ser humano es curioso: encerrarlo ocho horas cada día en el mismo edificio es cruel.

Tengo miedo

No tengas miedo de sacar a tus hijos de la escuela o de no enviarlos a ella. Lo que debes temer es quedarte en un sistema que no funciona bien para tu hijo o hija ni para tu familia.

Lee todos los artículos que puedas de educación alternativa, ve a conferencias y congresos de educación libre, habla con otras familias expertas, lee libros sobre este tema para desarrollar tu confianza. El miedo desaparecerá cuando hayas desescolarizado tu mente. Hay que cambiar de *chip*, olvidar que a los 9 años el niño ya debería estar leyendo, olvidar que en 2.º de Primaria hay que aprender las tablas de multiplicar, olvidar que en 4.º se aprende a dividir, olvidar que ir a la universidad es mejor que trabajar en un supermercado. Olvídate de todo esto: el niño puede aprender a multiplicar y dividir con 14 años en solo un día, rápido y fácil. Y no ir a la universidad no es el fin del mundo; todo lo contrario, es el principio de un nuevo mundo.

Cálmate, confía en el proceso, confía en que los niños aprenden. Confía en tu instinto. Pruébalo. No pierdes nada por intentarlo. Ten en mente que si tus hijos, por alguna razón, necesitan aprender todas las materias académicas, solo se tarda un año o dos en hacerlo.

Mucha gente piensa que los niños tienen que asistir a la escuela, trabajar duro con los proyectos de las asignaturas y los deberes para tener éxito en la vida. Esto no es cierto, no funciona así para todas las personas.

¿Quieres que la escuela instruya a tu hijo de forma pasiva y se olvide de todo lo que ha aprendido en unos meses?, ¿o quieres que tu hijo adore aprender y siempre esté aprendiendo con gusto, y por lo tanto, retenga todo lo que aprende?

Uno aprende muchísimo simplemente viviendo la vida. La escuela no es necesaria. Sí que es necesario para las familias trabajadoras que los niños vayan a un centro mientras los padres trabajan, pero este centro, hoy en día, no es educativo, sino una guardería que apaga la curiosidad de los niños y sus ganas de aprender.

Espero que pronto lleguen a tu ciudad los centros educativos donde los niños de diferentes edades aprenden lo que les apetece y aprenden porque quieren. Juegan, cocinan, leen, pintan, inventan, hacen cualquier actividad que les apetezca (sí, juegan a videojuegos) y los adultos no son maestros ni enseñan. Ya existen y son las escuelas democráticas, hay varias en Europa y Estados Unidos, y con buenos resultados.

Nos hemos olvidado de la manera natural de criar a los hijos. Las viejas costumbres son el nuevo sistema. No escolarizar a las criaturas no es una idea rara ni radical. Al contrario, es algo que los humanos hemos hecho durante mucho tiempo. Dejar a tu hijo en manos de un extraño que lo adoctrine sí es raro y radical.

También es radical la segregación de los niños por edades. Si los maestros, los directores de escuela, los pedagogos y los responsables de educación supieran de educación, sabrían lo importante que es la mezcla de edades para beneficiar el aprendizaje.

También es radical la tensión que los estudiantes sufren para hacer las cosas bien. Esta ansiedad dificulta el aprendizaje y, como resultado, se etiqueta a muchos niños con «trastorno de aprendizaje». Las evaluaciones, las expectativas, la represión, afectan al aprendizaje. Es una barbaridad etiquetar a tantos niños de manera desfavorable.

Resulta extraño que los educadores no sepan que libertad y oportunidad son claves para la educación. Es raro que no sepan que la mejor manera de desarrollar la responsabilidad personal, el autocontrol y la sociabilidad es jugando, la manera de aprender natural del ser humano.

Una vez una amiga mía me dijo: «Cuando nació mi hijito me imaginé un libro lleno de páginas en blanco. Me entró ansiedad porque me di cuenta de que era mi responsabilidad llenar todas las páginas». Yo le contesté que no estaba de acuerdo. El libro debía escribirlo su hijo.

Deja de pensar que eres tú quien controla el futuro de tu hijo. Si tu hijo triunfa o fracasa, está en sus manos, no en las tuyas, y la medida del éxito o el fracaso debe ser la de tu hijo, no la tuya.

Uno no sabe cómo va a ser el resultado final de la aventura de vivir sin escuela. Prepárate para lo inesperado. Puede ser una aventura bellísima, con un final maravilloso.

Muchas de las lecciones importantes que uno aprende en la vida no se aprenden en la clase. Se aprenden de la vida misma.

Sal del colegio y vive.

Vivo en un país donde el homeschooling es ilegal

Hay artículos que hablan de familias alemanas y suecas que salen de su país y se trasladan a Irlanda o EE. UU., donde educar en casa es legal. Yo tengo una amiga que se marchó de los Países Bajos para poder educar sin escuela en Bélgica, donde sí es legal, y ahora se va a mudar de nuevo a EE. UU. para tener aún más libertad.

Es difícil dejar tu país, pero tus hijos lo valen. Si quieres saber más sobre mi amiga, al final del libro te dejo su historia, dura y difícil pero con final feliz.

¿Es legal en España la educación libre?

Conozco a algunas mamás que ya han educado sin escuela en España y muchas mamás que lo están haciendo actualmente. De momento solo conozco a una persona que tuvo problemas con la ley. Te invito a que vayas a estas cuatro páginas web para informarte:

https://www.educacionlibre.org

https://madalen.wordpress.com

https://ludus.org.es/es

https://violetacuesta.com

Aquí te dejo también unas páginas web que te pueden ayudar un poco. Hay muchas webs con información sobre educación sin escuela; solo tienes que escribir en tu buscador de Internet, YouTube o Meta (Facebook) «educar en casa» o «educación libre» o «homeschool» y el nombre de tu país:

https://hslda.org/es/legal/internacional

https://educasinescuela.com

https://supraescolar.com

https://educacionencasa.net

Y aquí están los hashtags que te van a ayudar a encontrar a familias que educan sin escuela en Instagram, TikTok y Twitter:

#vidasincole

#educacionsinescuela

#educarsinescuela

#educacionlibre

#educacionenlibertad

#educarencasa

#educacionencasa

#educacionenfamilia

#educacionrespetuosa

#educacionalternativa

#sinescuela

A los padres os digo, por encima de todo, que no dejéis que vuestra casa se convierta en una terrible copia en miniatura de la escuela. Nada de planes de estudio. Nada de exámenes. ¡Sin exámenes! Sin notas. Incluso dejar a los niños solos sería mejor; al menos podrían averiguar algunas cosas por sí mismos. Vivid juntos, tan bien como podáis; disfrutad la vida juntos, tanto como podáis.

John Holt

Carta de mi amiga

CARTA DE MI AMIGA

Mi familia y yo somos refugiados de la educación. Tuvimos que cambiar de país para poder educar en casa y estamos a punto de cruzar el Atlántico para continuar educando libremente. Buscamos refugio frente al invasivo control europeo de la enseñanza y el desarrollo de nuestros hijos, que queremos que sigan aprendiendo como a ellos les va mejor, de forma autodidacta.

Mi hijo mayor Simon siempre ha sido autónomo con su aprendizaje y yo he asumido encantada el papel de facilitadora. Nunca le puse límites para usar las pantallas, ya que se pasaba horas devorando apps y vídeos educativos de YouTube, y de tanto recrear todo lo que leía o veía, a menudo se quedaba sin papel. Toda la acera de la calle en la que se ubica nuestro piso en el centro de Ámsterdam quedó cubierta de alfabeto katakana japonés, de letras griegas, de gráficas con la escala de Beaufort, de unidades para medir, y sobre todo, de formas geométricas y de fórmulas.

Al mismo tiempo, Simon nunca mostró demasiado interés en jugar con otros niños y el desarrollo de sus habilidades físicas era lento, lo cual alarmó a algunos expertos del Estado. Durante un tiempo, utilizamos la excusa «es superdotado» para que pudiera pasar parte del día en la clase de alumnos de diferentes edades con altas capacidades de su escuela. Estoy convencida de que la maestra encargada del programa de superdotados no disfrutó mucho de tener a Simon en su clase, ya que a menudo «se olvidaba» de irlo a buscar a su otra clase, abarrotada de niños de parvulario.

De hecho, muchas maestras no sabían qué hacer con Simon, ya que se movía mucho y no le gustaba seguir instrucciones. En su segundo año en la escuela, cuando tenía cinco años, mi hijo y sus compañeros de la clase de altas capacidades crearon postales de Navidad. La postal de Simon fue la única que no colgaron en la pared porque su dibujo, nos dijo la maestra, no seguía el tema navideño. La postal de Simon ilustraba el mapa de los países e islas del Caribe, que dibujó de memoria (su interés principal en aquella época).

Durante el semestre siguiente, el director de la escuela permitió que Simon pasara la mayor parte de su tiempo en casa, y que asistiera a clase solo un par de horas al día. La escuela no podía permitirse el lujo de pagar un psicólogo todas las horas del día para que acompañara a Simon, y la maestra del programa para altas capacidades no quería a Simon en su clase sin supervisión psicológica. Qué manera de malgastar el dinero, creo yo. Y qué gran alivio ver a Simon en casa floreciendo con todo el tiempo libre en sus manos.

Te debes estar preguntando por qué no sacamos a Simon del colegio, puesto que claramente no era un buen candidato para la enseñanza reglada.

En los Países Bajos, las familias no tienen derecho a sacar a un niño de la escuela. Si lo hacen, acaban en los tribunales, como si fueran delincuentes. Conozco a varias familias que lo hicieron y, cuando la escuela presentó una denuncia contra ellos a los servicios de protección del menor, sufrieron el horror de ser acusados de negligencia.

Los servicios de protección del menor de los Países Bajos y su rígida guerra contra la crianza alternativa me recuerdan a la Inquisición española. A pesar de los muchos informes, artículos y libros que avalan la educación libre, nada de momento ha conseguido abrir la mente de los legisladores, que incluso han retirado la custodia de sus hijos a familias desescolarizadas, sin notificación previa. Casos en los que a las familias no se les brinda la oportunidad de explicarse y defenderse, casos en los que los jueces parecen seguir ciegamente a los servicios de protección del menor, pues son compañeros de trabajo.

Más de cuarenta mil niños holandeses están creciendo separados de sus padres. A menudo esto implica cambiar varias veces de familia de acogida, sufrir graves trastornos por falta de apego, síndrome de estrés postraumático, automutilaciones e intentos de suicidio. No todos están en familias de acogida; actualmente, casi dos mil niños y niñas viven en internados similares a cárceles, la mejor manera que el estado holandés ha encontrado para «protegerlos». Hélène van Beek escribió en su libro Kinderen van de staat (Hijos del Estado): «Los Países Bajos son los campeones en encerrar a menores». Menores que no cometieron ningún delito.

En el momento de escribir este texto, firmé la petición para abolir estas instituciones y sus «áreas de protección». Ojalá que se convirtieran en historia. En mi opinión, estas instituciones no son más que un síntoma de un problema mucho más profundo de la sociedad holandesa: el Estado tiene demasiado poder sobre la familia y el sistema legal lo tolera. La falta de confianza en la diversidad, la obsesión por la eficacia, la fobia al cambio y el constante registro de datos hacen que sea un país estresante si quieres hacer las cosas de manera diferente.

A los seis años, la ley obligó a Simon a asistir a la escuela a jornada completa, pero ninguna escuela lo quería. Cuando le pedimos a la maestra de alumnos con altas capacidades que lo aceptara en su clase, su respuesta fue «¡de ningún modo!». En otra escuela alternativa que Simon probó durante tres días nos dijeron que daba demasiado trabajo. Finalmente, encontramos otra escuela para superdotados a las afueras de la ciudad que aceptó a Simon durante un periodo de prueba.

Aquel año fue la única vez que he visto a Simon marchitarse: no tenía energía para nada. Después del largo viaje en autobús de vuelta del colegio se tumbaba en el sofá y allí se quedaba sentado, mirando la tele. Y la acera de nuestra calle ya no tenía ningún escrito, se quedó vacía.

Por supuesto, hay varios casos en los que el niño termina quedándose en casa después de todo el alboroto, ya que el sistema escolar holandés simplemente tira la toalla ante situaciones difíciles, y estos niños reciben la honorable etiqueta de «inútil» y por lo tanto quedan excusados de «el deber de estudiar en la escuela». Sin embargo, a nosotros nos dijeron que Simon «no estaba lo suficientemente traumatizado» para adquirir esas etiquetas.

Afortunadamente, durante todo este tiempo averiguamos mucho, nos informamos, y conocimos en Internet a varias familias que pasaron por lo mismo. Así que decidimos ir a vivir a Bélgica, donde la educación en casa es legal, y a Steven, mi marido y querido padre de Simon, siempre tan pacífico, no le importó tener que pasar cinco horas en el coche cada día, de ida y vuelta a su oficina holandesa.

Fue la mejor decisión de mi vida. Junto con casarme con Steven.

Una vez nos mudamos a Bélgica, fue muy fácil registrar oficialmente a Simon y su hermana pequeña Neva como homeschoolers. Me sentí como si hubiera entrado en otra dimensión: cruzas la frontera y recuperas al instante tu derecho básico a escoger la educación de tus hijos.

Emigrar fue muy duro para mí. Al fin y al cabo ya había emigrado una vez desde Rusia. Ámsterdam se volvió una parte esencial de mi identidad como corresponsal de la radio rusa en los Países Bajos. Fue difícil dejar de trabajar y abandonar la red de contactos que construí. Pero ¿para qué continuar trabajando y tener una carrera si el precio que tenía que pagar era ver a mi hijo hundirse?

Bélgica disfrutó de una libertad total en cuanto a la educación en casa hasta que, hace algo menos de una década, se introdujeron las inspecciones domiciliarias y los exámenes obligatorios. Los controles oficiales del aprendizaje libre han aumentado, y esa oleada asfixiante de control ha afectado a muchos países europeos. Creen que con menos opciones educativas lograrán una mejor integración de los recién llegados. Aun así, la parte de habla flamenca del país sigue dejando tranquilos a los homeschoolers hasta llegar a los doce años. Solo hay que presentar un plan educativo anual y las inspecciones domiciliarias, por muy injustas e invasivas que parezcan, solo ocurren una vez cada dos o tres años.

Estamos muy agradecidos de estos últimos seis años en Bélgica. Al principio nos sentimos un poco débiles, cansados y asustados, con miedo a ser rechazados, pero la hermosa ciudad de Amberes nos acogió y nos dio libertad. Al contrario de Ámsterdam, simpática pero entrometida y exigente, Amberes nos dejó en paz. Y eso fue exactamente lo que necesitábamos para sanar y redescubrirnos. Nos hemos recuperado y hemos salido adelante, el recorrido de nuestra familia por el túnel oscuro llegó a alcanzar la luz, ya no necesitamos ninguna validación del talento de nuestros hijos, ya no estamos preocupados de sus peculiaridades y sus asincronías, y nos sentimos muy orgullosos de las importantes decisiones que hemos tomado para la formación personal de nuestros hijos. Amberes es donde hemos aprendido a liberarnos y a tener confianza.

Hoy, mientras Neva y Simon empiezan a entrar en la adolescencia, su mayor pasión es diseñar y programar videojuegos. Acaban de publicar su primer videojuego y juntos están aprendiendo sobre el servidor de juegos Unity para construir en su momento otro en 3D. Simon, que aprendió trigonometría, logaritmos y derivadas él solito antes de cumplir los nueve años, sigue estudiando matemáticas e informática. A Neva también le gusta codificar y componer música para videojuegos. Ambos están colaborando intensamente con expertos con el mismo interés y pasión por todo el mundo.

Nuestra casa tiene un ambiente de estudio de arte donde mis hijos y yo trabajamos en nuestros proyectos codo con codo. Nuestro estilo de vida sin escuela ha potenciado que retomara mi afición por el dibujo y la tecnología: he realizado varios cursos de dibujo animado. A pesar de mis dos carreras universitarias, no creo haber aprendido tanto como he aprendido estos últimos años gracias al unschooling.

Queremos seguir viviendo así, disfrutando de cada uno de nuestros logros e ideas, valorando lo que cada día nos trae. No queremos que Neva y Simon se tengan que poner a estudiar temas que tienen muy poca utilidad en su vida ni en sus planes de futuro, para aprobar las trece asignaturas en los exámenes obligatorios de Bruselas. El verano pasado, durante los tres días de los exámenes estatales, una de las preguntas fue sobre ¡cuándo ir al sastre a arreglar unos pantalones! A Simon le fueron bien los exámenes, incluso en francés, pero no queremos repetir esa experiencia con Neva. Además, Neva no quiere aprender francés. ¿Para qué obligarla?

Simon aprobó el examen de matemáticas con mucha facilidad, pero suspendió el examen oral de inglés. «Hablas igual de bien que un nativo, pero no te podemos aprobar porque no quieres responder a las preguntas», dijo el examinador a mi hijo mientras este lloraba.

Aquella noche, mi hijo, con su visión de matemático y en inglés me dijo: «Sus preguntas carecen de lógica, supongo que fue uno de esos falsos negativos».

No queremos que motivos ajenos guíen a Simon y Neva, ni que los resultados de un examen afecten su autoestima. Sobre todo, no queremos que se distraigan durante el bonito proceso de descubrirse a uno mismo.

Dentro de unos meses nos vamos a mudar a Estados Unidos. Aunque su sistema escolar sufre ciertos problemas graves, al igual que el sistema escolar europeo (muy poca autonomía para los maestros y alumnos, el mismo procedimiento obligatorio de evaluación para pasar de grado), al menos tienes *la libertad de entrar y salir a tu gusto del sistema. En América educar en casa no es tabú y existe un sinfín de oportunidades para las personas educadas sin escuela que quieren estudiar y obtener un diploma, licenciatura o doctorado más adelante. Quiero que mis hijos vivan en ese ambiente único que América todavía ofrece de emprendeduría, rigor científico y libertad individual.*

En un cambio brusco de circunstancias, nuestra escapada hacia la libertad ocurre en medio del caos de la mayor crisis migratoria desde la Segunda Guerra Mundial. Hay días que parece que un maremoto nos arrastra hacia Occidente. Sé que debemos navegar y seguir adelante. Mis nuevos amigos refugiados de Ucrania, que han sabido seguir el rumbo durante la peor tormenta, han sido una enorme inspiración para mí.

No sé qué va a ocurrir en este nuevo episodio de nuestra vida. Como dice Richard Feynman, «No tengo que "tener" una respuesta. No me siento aterrorizado por no conocer cosas, por estar perdido en el misterioso universo sin tener ningún propósito; que es el modo en el que la realidad es, hasta donde puedo decir, posiblemente. Esto no me aterra».

Sophia Kornienko

AGRADECIMIENTOS

Estoy muy agradecida a mi tío Salvador, doctor en Psicología, que se fue de este mundo demasiado pronto. Gracias por frenar a los que cuestionaban mi decisión de educar en casa diciéndoles: «¿Estáis escuchando? Dice que quiere lo mejor para sus hijos». Nunca olvidaré ese día.

Estoy en deuda con Marilyn. Sin ella, Jaume no habría tenido una oportunidad de aprendizaje tan buena y todo un modelo a seguir.

Un agradecimiento infinito a mi editor de la versión original inglesa, mi hijo Jaume, que hizo que este libro se pudiera leer en inglés. Sin él no me habría atrevido a escribir mi historia.

Y gracias a la editorial Argyle Fox por aceptar, editar y publicar la versión original inglesa, el primer libro de mi vida. Daniel, el día en que me enviaste el correo electrónico expresando que estabas interesado en mi libro fue el día en que mi hijo cumplió dieciocho años. Fue un aniversario lleno de emociones felices. Mi hijo convirtiéndose en adulto y el nacimiento de mi libro, ¡ambos en el mismo día!

Gracias a mi marido, Brian. Normalmente protesta cada vez que emprendo una nueva aventura, pero para esta en particular, la de escribir un libro, se mostró optimista.

Y estoy agradecida a mis padres, que pagaron innumerables clases de inglés a lo largo de mi infancia para que pudiera dominar el idioma. Saber una lengua extranjera da libertad. Gracias por ese regalo.

Gracias, Cayce, por las conversaciones infinitas que cada semana compartíamos en tu piscina durante el verano. Me imaginé hablando contigo mientras escribía este libro.

Y gracias a las personas que he ido encontrando durante estos años que me han ido ayudando, dándome valor y buenos consejos.

Mil gracias a mi editora Marta, y al equipo de EditaHub, que han tenido mucha paciencia conmigo. Gracias a ellos esta versión en español de mi libro en inglés es una realidad. No solo han tenido que editar mi español tan americanizado y adaptar la historia, sino que también han aportado la magnífica idea de empezar el libro con el prólogo de mi hijo, y añadir el capítulo final respondiendo a las dudas y preguntas típicas de las familias que educan en el hogar. Gracias, Marta, gracias EditaHub, mil gracias.

Educar sin escuela es igual de fácil o de difícil que ejercer de padre o de madre. Si puedes hacer lo uno, puedes hacer lo otro.

A mí la escuela me falló y, gracias a ello, descubrí un mundo muy bello. Un mundo que si tú quieres también puede ser el tuyo. Te invito a entrar.

Marta Obiols Llistar

Marta Obiols nació en Barcelona. Es licenciada en Educación Especial por Blanquerna-Universitat Ramon Llull, y ha trabajado como docente en varias escuelas, tanto públicas como privadas, además de en jardines de infancia. Marta ha dedicado gran parte de su carrera profesional a profundizar en el proceso de aprendizaje de los niños.

Desde hace más de dos décadas vive con su familia en EE. UU., país en el que descubrió la posibilidad legal de educar por libre, fuera del sistema escolar. Lleva más de diez años educando a sus tres hijos en casa y apostando por un aprendizaje sin límites, voluntario y dirigido por el propio niño: sus tres hijos son los que deciden cuándo, cómo y dónde quieren aprender.

Escribió *#vidasincole*, publicado originariamente en inglés, para mostrar con su testimonio que es posible una educación de calidad fuera del sistema escolar. Su hijo Jaume es ya un caso de éxito de la educación en casa. El deseo de Marta es desestigmatizar la educación sin escuela y lograr que se incluya como una opción educativa legal más en todos aquellos países en los que no está permitida.